MONIQUE JÉRÔME-FORGET

De la même auteure

Motel Lorraine, Stanké, 2013
Mémoires d'une enfant manquée, Stanké, 2012

BRIGITTE
PILOTE

MONIQUE JÉRÔME-FORGET

BIOGRAPHIE

Libre Expression
Une société de Québecor Média

Catalogage avant publication de Bibliothèque et Archives nationales du Québec et Bibliothèque et Archives Canada

Pilote, Brigitte

    Monique Jérôme-Forget

    ISBN 978-2-7648-1030-9

    1. Jérôme-Forget, Monique, 1940- . 2. Québec (Province) - Politique et gouvernement - 1994-2003. 3. Québec (Province) - Politique et gouvernement - 2003-2012. 4. Femmes politiques - Québec (Province) - Biographies. I. Titre.

FC2926.1.J47P54 2015   971.4'04092   C2015-940218-2

Édition : André Bastien
Révision linguistique et correction d'épreuves : Céline Bouchard et Gervaise Delmas
Couverture : Chantal Boyer
Mise en pages : Annie Courtemanche
Photo de couverture : Julien Faugère
Photo de l'auteure : Sarah Scott

Les photos publiées dans cet ouvrage proviennent toutes des archives personnelles de Mme Jérôme-Forget et ne portent pas de mention de source, à l'exception de celle du bas de la page 11.

Remerciements
Nous reconnaissons l'aide financière du gouvernement du Canada par l'entremise du Fonds du livre du Canada pour nos activités d'édition.
Nous remercions le Conseil des Arts du Canada et la Société de développement des entreprises culturelles du Québec (SODEC) du soutien accordé à notre programme de publication.
Gouvernement du Québec – Programme de crédit d'impôt pour l'édition de livres – gestion SODEC.

Les Éditions Libre Expression
Groupe Librex inc.
Une société de Québecor Média
La Tourelle
1055, boul. René-Lévesque Est
Bureau 300
Montréal (Québec) H2L 4S5
Tél. : 514 849-5259
Téléc. : 514 849-1388
www.edlibreexpression.com

Dépôt légal – Bibliothèque et Archives nationales du Québec et Bibliothèque et Archives Canada, 2015

ISBN : 978-2-7648-1030-9

Distribution au Canada
Messageries ADP inc.
2315, rue de la Province
Longueuil (Québec) J4G 1G4
Tél. : 450 640-1234
Sans frais : 1 800 771-3022
www.messageries-adp.com

Diffusion hors Canada
Interforum
Immeuble Paryseine
3, allée de la Seine
F-94854 Ivry-sur-Seine Cedex
Tél. : 33 (0)1 49 59 10 10
www.interforum.fr

Prologue

« Je t'invite à la maison, avait spontanément déclaré Monique Jérôme-Forget lorsque nous avions convenu de la date de notre premier entretien. On travaillera en mangeant, avec un verre de vin. Ce sera plus sympathique. »

Le jour venu, elle m'ouvre la porte avec cet irrésistible sourire qui dut désarmer ses adversaires politiques à maintes occasions. Elle se montre surprise que je lui offre un petit présent. « Tu ne vas pas m'apporter un cadeau chaque fois qu'on va se rencontrer, j'espère ! » Je lui dis que ce sont des exemplaires de mes deux romans, qu'elle avait manifesté l'intérêt de lire. Elle est ravie.

Son lieu de vie à Montréal ressemble à ce que j'avais imaginé. Je découvre d'abord la magnifique cuisine, digne du cordon-bleu que Monique Jérôme-Forget a la réputation d'être. Par les arts de la table, n'allais-je pas tarder à le constater, elle exprime sa créativité et son sens de la fête. « Je mélange de la vaisselle de plusieurs styles et couleurs, je plie chaque serviette différemment. En plus d'un bon repas, je veux offrir à mes convives une table attrayante. »

Elle fait occasionnellement appel à un traiteur pour ses réceptions, mais prépare le plus souvent elle-même le repas. «J'adore cuisiner! Quand je faisais mon doctorat, ça m'a beaucoup frustrée de manquer de temps pour préparer des repas plus élaborés à ma famille. Mon fils Nicolas et ma fille Élise se font un malin plaisir de répéter qu'à cette époque ils ont mangé du pain de viande tous les jours! Ils exagèrent, mais c'est un fait que les menus étaient moins variés que je l'aurais souhaité.»

Autour d'une grande table joliment dressée, son entregent et son tempérament de bonne vivante trouvent l'environnement idéal où s'épanouir. Elle reçoit très souvent parents et amis, et sa générosité s'étend à d'autres qui ne font pas partie du cercle de ses intimes et qu'elle reçoit pourtant avec les égards que l'on réserve habituellement aux proches. Comme ce groupe de jeunes avocates qu'elle a prises sous son aile de mentor ou ces seize femmes invitées chez elle le lendemain de notre entretien, à qui elle veut présenter Suzanne Fortier, la nouvelle principale et vice-chancelière de l'Université McGill. Depuis plusieurs décennies, chez Monique Jérôme-Forget, des amitiés se sont tissées, des contacts professionnels se sont créés et des échanges fructueux ont eu lieu, toutes allégeances confondues.

Elle me raconte qu'alors qu'elle était vice-présidente du Conseil consultatif canadien sur la situation de la femme, au début des années 1980, elle avait réuni chez elle une vingtaine de personnes, dont Pauline Marois, ministre d'État à la Condition féminine du Québec, et Judy Erola, ministre responsable de la Condition féminine à Ottawa. Estimant que les deux femmes gagneraient à établir un lien personnel pour faire avancer les questions relevant de leurs ministères respectifs, l'hôtesse les avait «enfermées» ensemble dans une pièce. La conversation ne s'était pas éternisée, mais les deux ministres avaient eu un tête-à-tête. À sa façon, Monique Jérôme-Forget a toujours voulu favoriser les rencontres entre des personnes qui ne se seraient peut-être jamais croisées autrement.

Nous prenons l'apéritif dans le salon. Les souvenirs de ses nombreux voyages y tiennent une place de choix, dont cet imposant bouddha de Birmanie et les trois sabres japonais fixés au mur, au-dessus du fauteuil où elle m'invite à m'asseoir. Elle me confie que l'envie lui prend parfois de refaire entièrement la décoration, dans un style épuré. « Mais tous ces objets ont une telle valeur sentimentale pour mon mari et moi qu'à vrai dire je ne m'imagine pas m'en départir. »

Sachant qu'elle a hésité à s'investir dans ce projet de livre, je lui demande pourquoi. « Trop souvent, dans ce genre de récit, les gens ne font que mousser leur succès. Ils veulent nous présenter leurs meilleurs coups et cela rend le propos plutôt ennuyant. Je regrette, mais les personnalités publiques ne sont pas parfaites. Comme tout le monde, elles ont des défauts, commettent des erreurs, vivent des difficultés et des échecs. Je n'ai pas envie que les gens m'idéalisent, qu'ils me prennent pour ce que je ne suis pas. Je doute qu'on puisse être une inspiration pour quiconque en présentant seulement une facette glorieuse de soi-même. »

Pas d'hagiographie, donc. Ni de règlements de comptes. Car le ressentiment ne semble pas avoir de prise sur Monique Jérôme-Forget : entrée en politique à un âge mûr, forte de son expérience dans la haute fonction publique, elle connaît trop bien les règles du jeu pour tenir quiconque responsable des affronts qu'elle a pu subir. Elle a vite compris que sur l'échiquier du pouvoir la reine peut du jour au lendemain devenir cavalier ou pion, peu importe l'estime dans laquelle la tiennent réellement les autres joueurs.

Nous sommes d'accord que le livre devra refléter les traits de personnalité que sa carrière politique a mis en relief : sa droiture et son franc-parler, jugé parfois brutal par certains journalistes, mais fort apprécié des citoyens, à l'heure où le cynisme à l'endroit de la classe politique atteint des sommets. « Avec moi, il n'y avait pas de langue de bois ni de faux-semblants. Je donnais l'heure juste, même si ça ne faisait pas l'affaire de tous. »

En quittant la politique, en 2009, elle s'attendait à ce qu'on l'oublie. Or, pratiquement chaque jour elle se fait aborder dans la rue. « Les gens m'appellent encore Madame la ministre. Ils me disent qu'ils s'ennuient de moi et souhaitent mon retour à l'Assemblée nationale », rapporte-t-elle. En souriant, elle leur répond qu'ils auraient dû lui témoigner leur appréciation plus souvent alors qu'elle était en fonction. Manière élégante de leur signifier que ce n'est plus maintenant, mais alors qu'elle vivait les éprouvants derniers mois de sa carrière politique, qu'elle avait besoin de cette tape dans le dos.

Elle est très touchée lorsque des jeunes femmes lui disent qu'elle représente pour elles un modèle, doutant toutefois de mériter ce compliment. « Je suis une femme bien ordinaire. Au fond, j'ai eu beaucoup de chance », affirme-t-elle avec une candeur étonnante de la part de celle à qui l'on reconnaît beaucoup d'assurance et du panache.

Au cours de nos entretiens, elle a évoqué plusieurs fois la chance, ce qui me faisait sourciller. J'y voyais un résidu de la modestie féminine dont il me semblait qu'une femme ayant ses états de service aurait dû être débarrassée. Demandez à un homme de sa trempe d'expliquer son succès, il ne vous parlera pas du sort favorable, mais de ses qualités et de ses compétences.

Monique balaie mon argument du revers de la main et insiste : « Bien sûr que la chance existe ! D'abord, j'ai eu la chance d'avoir de bons parents. Pas instruits, mais aimants et qui s'intéressaient sincèrement à leurs filles. Puis j'ai épousé un homme extraordinaire avec qui j'ai eu deux beaux enfants. Il y a de la chance, là-dedans, car le partenaire que tu croyais idéal peut s'avérer tout autre avec le temps. Certaines personnes sont très malchanceuses. Tu as neuf ans et tu perds tes parents… C'est l'âge qu'avait mon père quand sa mère l'a placé à l'orphelinat, parce que l'homme avec qui elle venait de se remarier ne voulait rien savoir de cet enfant. J'appelle ça de la malchance. »

Ce qu'il fallait que je comprenne par ce thème de la chance, c'est que Monique est habitée par un fort sentiment de gratitude à l'égard des largesses que la vie lui a consenties, au nombre desquelles elle range son caractère joyeux, de même que sa santé et son inépuisable énergie.

Elle s'émerveille encore de sa relation de plus de cinquante ans avec son mari, Claude Forget, dont elle s'est éprise dès leur première rencontre. Il a été ministre des Affaires sociales de 1973 à 1976, dans le cabinet de Robert Bourassa, et nous imaginons facilement qu'il fut pour elle un précieux conseiller lorsqu'elle fit à son tour son entrée en politique. Mais peu de gens savent que pendant les dix années que Monique Jérôme-Forget a vécues sous les projecteurs, son époux s'est employé à préserver l'espace intime indispensable à son équilibre. Auprès de lui, la Dame de fer pouvait retirer son armure et déposer les armes. « Il m'attendait avec un bon repas. Nous mettions la politique de côté, même lorsque je pilotais des dossiers très chauds. Claude est doué pour le *tender loving care*. Il a été formidable. » Derrière chaque grande femme se cacherait-il un homme attentionné ?

La question suivante a servi de fil conducteur à l'élaboration du livre : quand on naît de sexe féminin, en 1940, dans un quartier populaire de Montréal, que l'on vit son enfance et son adolescence avant la Révolution tranquille, comment en vient-on à occuper les plus hautes fonctions dans l'appareil d'État ?

« Les gens semblent croire que je suis sortie de la cuisse de Jupiter. J'ai pourtant été élevée dans une famille de la classe moyenne où les études supérieures n'étaient pas valorisées. Je me suis mariée très jeune et j'ai étudié tout en élevant mes deux enfants. »

Le livre repose sur plusieurs entretiens échelonnés sur neuf mois, de novembre 2013 à juillet 2014. J'ai compris rapidement que Monique éprouvait un profond mépris pour l'orgueil sous toutes ses formes. C'est parfois par mes recherches et auprès de ses proches que j'ai appris des réalisations et anecdotes qu'elle n'aurait jamais mentionnées, les jugeant peu dignes d'intérêt.

J'ai fait des entrevues avec Claude Forget, ainsi que quatre personnes qui ont côtoyé de très près la ministre : Jean Charest, ancien premier ministre et chef du Parti libéral du Québec, Lucien Bouchard, ancien premier ministre du

Québec, ainsi que Véronique Mercier et Luc Meunier, qui furent respectivement sa chef de cabinet et son secrétaire au Conseil du trésor. Leurs propos jettent un autre éclairage sur la personnalité de Monique Jérôme-Forget et sa contribution à la politique québécoise.

Nous souhaitons que ce récit trouve un écho tant chez les gens qui ont suivi sa carrière publique que chez les lectrices et lecteurs qui la découvriront dans ces pages. Monique Jérôme-Forget dédie tout particulièrement ce livre aux jeunes femmes. Par l'exposé de son propre parcours, elle veut les inciter à croire en leurs moyens et à occuper la place qui leur revient dans notre société. « J'aime beaucoup les jeunes, affirme-t-elle avec chaleur. C'est ce qui m'intéresse le plus, présentement: les aider à réaliser leur plein potentiel, à réussir leur carrière tout en s'accomplissant dans leur vie personnelle. Je le fais avec beaucoup de plaisir. À l'âge que j'ai, je considère maintenant que c'est ma mission. »

Pour commencer, elle se remémore un événement survenu dans sa tendre enfance, qui révèle un trait de caractère qui allait s'avérer déterminant dans sa carrière.

Partie I

La jeune fille
au chapeau vert

Du balcon à l'arène

Quand ma mère racontait cet incident survenu lorsque j'avais à peine deux ans, on pouvait encore percevoir dans sa voix la frousse qu'elle avait ressentie.

Nous habitions sur l'avenue de Gaspé, dans le quartier Villeray, à Montréal. Maman m'avait installée sur le balcon pour que je puisse prendre l'air pendant qu'elle vaquait à ses occupations à l'intérieur. Cela se faisait couramment, à l'époque. Les mères ne se sentaient pas obligées de divertir leurs enfants toute la journée comme cela semble être devenu la norme aujourd'hui. Pour que je joue en toute sécurité, elle avait installé une clôture attachée par une vingtaine de nœuds.

Quelque temps après, elle a entendu un homme crier : « Eille, ôte-toi du chemin, t'es trop petite pour être dans la rue ! » Pas trop futé, le type, de n'avoir pas eu le réflexe d'aller sonner à la porte pour voir à qui appartenait ce bébé. Ma mère s'est précipitée dans la rue pour constater avec effroi que je m'étais effectivement échappée ! Elle ne pouvait pas croire que j'avais réussi à défaire les nœuds un à un.

Le balcon m'avait probablement semblé un terrain de jeu trop étroit, alors qu'il y avait la rue, tout près, beaucoup plus intéressante. Pendant combien de temps m'étais-je appliquée à défaire les nœuds patiemment avec mes petits doigts d'enfant ? Je n'en ai aucune idée, mais disons que j'avais déjà en moi cette ténacité qui m'habite toujours aujourd'hui.

Je peux travailler longtemps pour atteindre mes buts, et lorsque quelque chose me tient à cœur, rien ne peut m'arrêter. Ma sœur Jocelyne, de quatre ans mon aînée, s'en souvient bien : devant mes parents, alors qu'elle argumentait et tempêtait pour s'opposer à l'une de leurs décisions, je choisissais plutôt de rester silencieuse et calme. En apparence, j'avais l'air de me soumettre à leurs volontés, mais je n'en faisais néanmoins qu'à ma tête.

Pour réussir en politique, il faut avoir une grande détermination et démontrer une combativité à toute épreuve. Ce n'est pas par hasard que l'on dit « l'arène politique ». Les lions, ce sont vos adversaires, qui n'hésiteront pas à vous tailler en pièces dès qu'ils en auront la chance.

Cette culture de l'affrontement entraîne parfois des coups en bas de la ceinture, appréciés – voire encouragés – par les journalistes qui couvrent l'actualité politique. Si vous parvenez à créer la controverse, les médias s'intéresseront à vous. Les politiciens apprennent vite qu'il leur faut à tout prix occuper le territoire, quitte à devoir casser du sucre sur le dos de quelqu'un. Sinon, un autre le fera à leur place.

Le personnel de mon cabinet ne manquait jamais de m'informer que tel journaliste « cherchait la nouvelle ». D'ailleurs, l'apparition des chaînes d'actualité en continu a exacerbé cette tendance. C'est devenu un vrai casse-tête pour les médias que de remplir tout ce temps d'antenne et de soutenir l'intérêt du public. Sans parler des réseaux sociaux, qui permettent à n'importe qui de propager de l'information capable de susciter la polémique.

Pour son essai *Les femmes en politique changent-elles le monde ?* (Boréal, 2010), la journaliste Pascale Navarro a interrogé une vingtaine de politiciennes québécoises, dont moi. Il est notamment ressorti de ces entretiens que la dimension guerrière de l'exercice parlementaire répugne généralement aux femmes intéressées à prendre part au débat politique et qu'elle représente l'un des principaux obstacles au recrutement de candidates.

Les hommes se sentent d'emblée plus à leur aise que les femmes dans l'arène politique. Peut-être parce que, en pratiquant des sports rudes comme le hockey, ils se sont frottés très jeunes à des formes de compétition qui leur ont appris à faire la part des choses entre ce qui relève des impératifs de la joute et ce qui est de l'ordre de la confrontation personnelle. À Québec, les députés organisaient des parties de hockey où des adversaires politiques se retrouvaient dans la même équipe. Ils allaient ensuite se détendre en prenant un rafraîchissement ensemble, parfaitement capables de mettre leurs différends de côté.

J'ai fait mon entrée à l'Assemblée nationale en même temps que Line Beauchamp, à la suite des élections de 1998. Elle fut une collègue formidable et nous sommes toujours amies. Je me suis souvent permis de déclarer publiquement qu'elle ferait une excellente première ministre.

Nous étions dans l'opposition et, en bonnes élèves, nous observions ce qui se passait au Parlement avec grand intérêt. Or, les échanges entre les élus, lors de la période de questions, nous estomaquaient. Un ministre qui traite son critique de l'opposition de crétin, ce dernier qui réplique avec une égale grossièreté ; les exemples disgracieux ne manquent pas. Les regards que nous nous jetions, Line et moi, en disaient long. Nous les trouvions odieux. Toutefois, nous avons vite saisi que pour participer au débat nous devions entrer dans la parade. Quelques mois après, nous faisions pareil et y prenions même un certain plaisir.

Bien que réticente au départ, j'ai donc accepté de jouer selon ces règles. Mais ce jeu entraîne parfois des comportements extrêmes. Suis-je parfois allée plus loin que je l'aurais souhaité ? Oui. Certains m'en veulent encore, j'en suis sûre, et je peux les comprendre. À la longue, le climat de l'arène parlementaire a fini par me lasser, jusqu'à peser dans la balance lorsque j'ai songé à quitter la politique.

La politique pourrait-elle être pratiquée autrement ? Une représentation féminine plus importante à l'Assemblée nationale permettrait-elle d'instaurer un nouveau mode d'interaction misant davantage sur la coopération ? Je le souhaite sincèrement.

*

La ténacité que j'avais déjà toute petite, j'ai eu plusieurs occasions de l'affûter tout au long de ma scolarité.

Dans les années où j'ai fait mon cours primaire et mon secondaire, deux philosophies s'opposaient concernant l'instruction des filles : celle qui prônait une éducation axée sur les compétences familiales et l'autre qui valorisait une formation intégrale, semblable à celle qu'on offrait aux garçons. Les filles qui suivaient cette seconde filière étaient principalement issues de la bourgeoisie.

Souvenons-nous qu'à l'époque la femme était considérée comme complémentaire à l'homme, mais pas comme son égale à proprement parler. Sa place étant auprès de son mari et de ses enfants, à quoi bon lui inculquer toutes ces connaissances qui ne lui serviraient à rien ? Ma mère disait que si elle avait eu un fils elle l'aurait envoyé à l'université, mais que pour des filles ce n'était pas important. Un cours commercial suffisait.

Mes parents tenaient tout de même à ce que leurs deux filles apprennent l'anglais. Ils ont donc inscrit ma sœur Jocelyne à l'école Luke Callaghan, après son cours primaire. Malgré la difficulté supplémentaire que représentait l'apprentissage d'une nouvelle langue, Jocelyne, brillante élève, s'est classée première au Québec aux examens provinciaux. Par conséquent, ma mère crut bien faire en m'inscrivant également à l'école anglaise…

Contrairement à ma sœur aînée, je ne me suis pas adaptée à ce nouvel environnement. J'avais été première de classe pendant tout le primaire, et soudain, je me retrouvais dans une école où je ne comprenais rien ! Plusieurs années après, quand j'ai vécu à Londres, puis lorsque j'ai étudié à l'Université McGill, j'ai appris cette langue seconde avec facilité. Mais à douze ans, cela représentait un changement trop radical.

Après deux jours, j'étais bien décidée à quitter cette école. Mes parents ont rapidement pris la mesure de ma détermination. Ils ont compris qu'il valait mieux céder et m'inscrire dans un établissement francophone. Je leur suis reconnaissante de m'avoir permis de m'écarter de la voie qu'ils avaient tracée pour moi, même si cela dut leur causer beaucoup de soucis. Très jeune, je savais d'instinct ce qui me convenait ou pas.

J'ai terminé mon secondaire à l'école francophone, puis le directeur a persuadé mes parents qu'il serait dans mon meilleur intérêt de m'envoyer à l'Institut familial et social de Montréal des Sœurs du Bon Conseil, sur le boulevard Saint-Joseph. C'était ce qu'on appelait une école ménagère, qui dispensait des cours d'économie familiale nous préparant à devenir de bonnes mères de famille. On nous enseignait le tricot, la couture et la cuisine, ce qui ne correspondait pas du tout à ce que j'avais envie d'apprendre. Cet institut avait certes sa pertinence, mais combien de jeunes filles douées pour l'étude ont ainsi été privées d'une instruction plus poussée ?

Pendant une année, j'ai suivi les cours de l'Institut, d'abord comme pensionnaire (un calvaire pour l'adolescente plutôt rebelle que j'étais), puis comme externe. Cet environnement ne me convenait pas, et j'ai été une seconde fois capable de faire valoir mon point de vue à mes parents. J'ai de nouveau changé d'école et j'ai fréquenté le collège Basile-Moreau, un collège classique pour filles tenu par les Sœurs de Sainte-Croix.

J'avais enfin trouvé l'institution où je pouvais m'épanouir. Les Sœurs de Sainte-Croix étaient des religieuses ouvertes et stimulantes. Sœur Saint-Jean-Raoul, avec beaucoup de dévouement, me prit sous son aile et me permit de rattraper le retard que j'avais accumulé en mathématiques en perdant mon temps à tricoter. En travaillant d'arrache-pied, j'ai réussi à faire en un an le programme de trois années d'algèbre. Je ne figurais plus parmi les premières, mais je m'étais remise à niveau et j'avais compris pour toujours que le travail ardu et la persévérance paient, en fin de compte.

Je garde un excellent souvenir de mes années passées à Basile-Moreau. Devenue ministre, je me suis montrée sensible aux requêtes des religieuses, des femmes qui ont énormément contribué à la société québécoise. Je suis notamment intervenue à l'Assemblée nationale en faveur des Sœurs du Bon-Pasteur, victimes d'escroquerie dans l'affaire du Marché central.

Quelques professeures laïques ont également beaucoup compté dans mon parcours scolaire. Je pense principalement à Mme Joly, une enseignante que j'ai eue à la fin du primaire, lorsque nous habitions à Saint-Eustache-sur-le-Lac. À force de bonté, elle réussissait à venir à bout de mon caractère indiscipliné. Je pourrais qualifier de « cas problème » l'élève que j'étais à cet âge. Je ne tenais pas sur ma chaise, je répondais à la place des autres, ce qui dérangeait toute la classe, évidemment. Mme Joly avait compris qu'il fallait me tenir occupée et s'organisait pour me donner des travaux supplémentaires et me confier des responsabilités dans lesquelles je pouvais canaliser mon énergie débordante. Je l'ai revue à l'occasion d'une visite officielle que j'ai faite à Saint-Eustache. Elle avait conservé des photos et des cahiers de ses anciennes élèves et m'a montré l'un des miens. Elle suivait ma carrière politique avec grand intérêt, très fière qu'une de ses élèves soit devenue ministre des Finances.

Pour Mme Joly comme pour toutes les enseignantes exceptionnelles qui ont su comprendre la fillette que j'étais et lui donner ce dont elle avait besoin pour se développer, j'éprouve énormément de reconnaissance. Je n'hésite pas à dire que je leur dois ma carrière.

*

J'ai également dû me montrer opiniâtre lorsque j'ai voulu faire mon doctorat à McGill, après avoir obtenu mon diplôme de baccalauréat de cette université. Dans les années où j'ai fait ma demande d'inscription, McGill avait pour principe de refuser l'accès au doctorat à ses étudiants, jugeant fructueuse l'exposition à d'autres contextes universitaires. Je connaissais ce règlement, louable en soi. Mais étant alors mariée et mère de deux jeunes enfants, il m'aurait été difficile de m'expatrier. De plus, je voulais faire ma thèse sous la supervision du Dr Ernest Poser, un éminent psychologue béhavioriste qui enseignait à McGill.

J'ai donc fait ma demande malgré tout. Puis j'ai entrepris de convaincre l'administration de l'université : j'ai frappé aux portes du doyen, du recteur et du vice-recteur. Ils restaient insensibles à mes arguments. Je revenais donc les voir et j'insistais. J'ai fini par les convaincre et j'ai été admise ! À partir de ce moment-là, *Never Take No For An Answer* est devenu ma devise.

Demain matin, Londres m'attend

Le 24 mars 1960, j'arrivais à l'aérogare de Londres, coiffée d'un élégant chapeau vert. J'avais dix-neuf ans. Je venais retrouver mon fiancé, qui étudiait à la London School of Economics, avec qui je devais me marier deux jours plus tard.

Plusieurs années après, Claude m'a avoué qu'il m'avait trouvée bien guindée en me voyant descendre de l'avion avec mon chapeau ! Il s'était alors posé des questions sur ma capacité de m'adapter à la vie qui m'attendait dans le petit meublé sans chauffage ni salle de bain qu'il avait loué avant mon arrivée.

Ce chapeau vert faisait partie du trousseau que ma mère avait fait confectionner avant mon départ, en même temps que ma robe de mariage. Maman était elle-même une excellente couturière. Elle s'est toujours donné beaucoup de mal pour que ses deux filles aient une apparence soignée, même avec le budget modeste dont elle disposait. Elle nous disait : « Vous n'êtes pas belles, mais vous êtes propres. » Les gens restent médusés lorsque je leur rapporte ces paroles. Pour ma part, elles ne m'offusquent pas le moins du monde. Je crois que ma mère souhaitait tuer en nous toute velléité d'orgueil.

Je me souviens qu'elle avait pris ces préparatifs à cœur. Sa fille cadette allait se marier à Londres, c'était tout un événement! De mon côté, j'étais très fébrile à l'idée d'aller retrouver Claude. Du jour au lendemain, j'ai coupé le cordon et suis partie vivre outre-mer. C'était audacieux, à l'époque. Il fallait certainement du cran à une jeune fille mineure, qui n'avait jamais quitté la maison familiale, pour aller retrouver son amoureux à l'étranger.

À la fin des années 1950, rares étaient les Canadiens français qui faisaient le voyage vers l'Europe, et la plupart s'y rendaient en bateau. Prendre l'avion pour traverser l'Atlantique était déjà un périple en soi. Le trajet – pas en jet comme aujourd'hui, mais en turbopropulseur qui faisait un bruit infernal – durait une douzaine d'heures, avec une escale en Irlande ou en Écosse.

J'avais rencontré Claude Forget par l'entremise de ma copine Nicole Lecavalier. Claude était un ami de son fiancé d'alors. Ils se côtoyaient dans le cadre des activités de la Société artistique de l'Université de Montréal, qui avait pour objectifs de développer les talents artistiques des étudiants et de promouvoir les beaux-arts.

Ce fut le coup de foudre! Avant lui, j'avais eu plusieurs prétendants que je larguais aussitôt que je m'en désintéressais (ils sont tous décédés aujourd'hui). Aucun ne m'avait éblouie comme ce jeune et brillant avocat. Claude revenait tout juste de l'Exposition universelle de Bruxelles, où il avait travaillé au pavillon du Canada. Il avait été sélectionné avec quarante-sept autres jeunes de partout au pays. Pour ce séjour de plusieurs mois à l'étranger, il avait reçu l'autorisation de reporter ses examens du Barreau, qu'il avait réussis haut la main à son retour.

Comme les quatre cent mille personnes qui avaient visité cette première Exposition universelle de l'après-guerre, Claude avait senti le vent d'effervescence qui soufflait sur le monde en 1958. À nous qui n'avions jamais quitté Montréal, et avec le talent oratoire qu'il possédait déjà à vingt-deux ans, il décrivait l'atmosphère qui régnait à Bruxelles.

Ce qui me fascinait surtout chez lui, c'était la diversité de ses centres d'intérêt. Il avait songé à devenir architecte avant d'opter pour le droit. Il prévoyait faire des études en finances publiques à Londres l'année suivante. Il avait été rédacteur en chef du *Quartier Latin*, le journal des étudiants de l'Université de Montréal, reconnu à l'époque au même titre qu'un grand journal. Il s'occupait aussi de la Société artistique. Il avait entre autres organisé des voyages culturels en Europe, des pièces de théâtre et des expositions de peinture à Montréal. Grâce à lui, j'accédais à un univers qui m'était resté inconnu jusque-là.

Nous nous sommes fréquentés pendant quelques mois. Nous étions très amoureux. Mais si je me rappelle vivement ce qui m'a plu chez lui, je suis incapable de comprendre pourquoi il a été attiré par moi. J'étais une jeune fille plutôt ennuyante, insignifiante, même. Si j'avais été à sa place, il est clair que je n'aurais pas été intéressé par Monique Jérôme.

Quand il a quitté le Québec pour Londres, en septembre 1959, nous avions décidé de nous marier l'été suivant, lorsqu'il reviendrait à Montréal après sa première année d'études.

Il a vécu quelques mois dans une résidence d'étudiants. En janvier 1960, il me confiait dans l'une de ses lettres que je lui manquais beaucoup et me demandait d'aller le rejoindre à Londres dès que possible. Il avait trouvé un appartement. Il organiserait tout avant mon arrivée pour que nous puissions nous marier à l'église catholique Notre-Dame de France. Nous n'étions pas des catholiques pratiquants, mais à cette époque, un jeune couple devait se marier avant de faire vie commune.

Je suis arrivée à Londres un jeudi, et le samedi suivant, en fin de matinée, Claude et moi étions en route vers l'église. Il tenait à m'acheter des fleurs, ce qui nous a mis en retard. Nos invités nous ont raconté qu'ils avaient eu toutes les misères du monde à retenir le célébrant, qui voulait quitter les lieux, outré que les mariés ne soient pas à l'heure !

Nous avons garé la deux-chevaux juste devant l'église Notre-Dame de France, dans Leicester Square, en plein centré de Londres. Ce serait impensable aujourd'hui, mais au début des années 1960, peu de Londoniens possédaient une voiture. J'ai couru jusqu'à la porte de l'église, tenant le bouquet d'une main, et de l'autre, mon chapeau en organza blanc, que j'avais préféré au traditionnel voile de mariée.

Pendant la cérémonie, tout me semblait si grandiose ! J'étais tellement impressionnée que je sentais mes genoux s'entrechoquer. Je m'imaginais que tout le monde le voyait parce que je portais une robe courte, mais évidemment, personne n'avait prêté attention à mes jambes.

La réception a eu lieu dans un salon privé de l'hôtel Waldorf. Nos familles n'avaient pas fait le voyage, mais nous avions invité neuf amis québécois de Claude, des étudiants expatriés comme lui. Le repas était excellent et nous avons même eu droit à un superbe gâteau, alors que le sucre était encore rationné en Angleterre. Nous avons ensuite fait un merveilleux voyage de noces à Paris.

La bourse d'études de Claude, qui s'élevait à 2 500 dollars annuellement, nous permettait de bien vivre. Notre logement comprenait un salon, une cuisine et une chambre, dans une maison victorienne ayant logé autrefois une seule famille et qui avait été subdivisée en appartements. C'était un petit espace de vie, selon nos normes nord-américaines, mais les autres résidents de l'immeuble vivaient dans une seule pièce. Comme il n'y avait pas de chauffage central, nous chauffions une pièce à la fois avec une fournaise portative à huile. Nous partagions la salle de bain avec nos voisins. C'étaient les conditions de vie courantes à Londres dans ces années d'après-guerre.

Je dois tout de même admettre qu'une fois l'excitation du mariage passée je me suis sentie loin de ma mère, dans un pays où le mode de vie était fort différent de ce que j'avais connu : le froid sibérien dans l'appartement, les toilettes communes, la langue, la conduite automobile à gauche, le minuscule réfrigérateur qui nous obligeait à faire les courses chaque jour. Les premières semaines, je me disais souvent : « Monique, dans quel pétrin es-tu allée te mettre ? » Claude n'a rien su de mon désarroi. Le voyant faire tout son possible pour que je m'acclimate, je ne voulais surtout pas qu'il croie que je regrettais d'être venue le retrouver.

Mon mal du pays a d'ailleurs été de courte durée. Rapidement, je me suis adaptée, d'autant plus que j'étais très heureuse de partager le quotidien avec Claude. Cette première année de notre mariage demeure pour moi l'une des plus belles de ma vie.

J'ai appris à faire la cuisine indienne, car les restaurants indiens étaient ceux que nous préférions entre tous. Nous allions beaucoup au théâtre, au cinéma, au concert. Les billets des spectacles de la Royal Opera House – qui sont aujourd'hui hors de prix – étaient si peu chers que nous assistions aux opéras et ballets autant que nous le voulions.

Nous avons passé l'été 1960 à voyager. Nous avons visité la France, l'Italie, l'Allemagne, l'Autriche, émerveillés par ces pays à l'histoire si riche. À 3 ou 4 dollars la nuit, les chambres d'hôtel étaient abordables, mais nous préférions parfois camper dans la voiture pour économiser. Claude retirait les sièges, qu'il remplaçait par un petit matelas, et nous pouvions dormir confortablement. Je trouvais cela très romantique.

Nous avons passé un mois en Autriche pour apprendre l'allemand. Je devais me pincer pour y croire : nous vivions à Salzbourg, la ville où Mozart est né ! Comme chaque été, le festival de Salzbourg battait son plein. Nous n'avions pas les moyens de nous payer tous les spectacles en salle, mais nous assistions aux nombreuses prestations gratuites présentées à l'extérieur.

Quand Claude a repris sa maîtrise, à la fin de l'été, je me suis inscrite à des cours du baccalauréat en sciences politiques à l'Université de Londres. Des étudiants de plusieurs nationalités s'y côtoyaient harmonieusement, ce qui allait contraster, comme je le réaliserais quelques années plus tard, avec l'ambiance de l'Université Johns Hopkins, aux États-Unis.

Un an après mon arrivée à Londres, j'attendais mon premier enfant.

Quand j'y pense, maintenant, je trouve qu'à vingt ans j'étais très jeune pour devenir maman. D'autant plus que Claude et moi ne connaissions rien aux bébés, puisqu'il était enfant unique et que j'étais la cadette de ma famille. Nous avons toutefois été très heureux d'apprendre cette nouvelle. Il nous semblait tout naturel d'avoir cet enfant.

Nous nous sommes immédiatement mis à la recherche d'un appartement plus grand et plus confortable, que nous avons trouvé dans Highgate. Ce quartier de Londres compte un magnifique cimetière qui abrite notamment la tombe de Karl Marx et où j'aimais aller me balader. C'était un appartement neuf, doté du chauffage central et d'une salle de bain, ce qui était devenu indispensable avec l'arrivée d'un enfant.

L'accouchement étant prévu pour novembre, je ne me suis pas inscrite au semestre d'automne. J'étais toute à ma joie de devenir mère et les études n'étaient plus ma priorité. En fait, je n'ai repris mes études universitaires que trois ans après, lorsque nous avons vécu à Baltimore, où Claude a fait sa scolarité de doctorat.

À cette époque, les Anglaises accouchaient à la maison. Pour moi, cela correspondait au Moyen Âge et c'était hors de question ! Heureusement, les frais d'hospitalisation – moins élevés que chez nous – étaient couverts par le gouvernement du Québec pour les étudiants expatriés, de sorte que j'ai pu donner naissance à notre fils, Nicolas, au Elizabeth Garrett Anderson Hospital.

Cette prestigieuse clinique, nommée en l'honneur d'Elizabeth Garrett Anderson (1836-1917), féministe et première femme à avoir obtenu un diplôme de médecine en Grande-Bretagne, avait la particularité d'être tenue exclusivement par des femmes : obstétriciennes, infirmières, sages-femmes. J'ai eu pour obstétricienne la doctoresse Hurter, une femme exceptionnelle, Fellow du Royal College of Surgeons. Plus tard, lorsque j'ai travaillé dans le domaine de la santé, je me suis souvenue de l'organisation du travail et des méthodes avant-gardistes qui avaient cours dans cet établissement.

Je tenais à ce que Claude soit présent à l'accouchement, et la direction a agréé ma demande, bien que ce ne fût pas la coutume en Grande-Bretagne, ni au Québec d'ailleurs. Il a été le premier homme à le faire à cette clinique.

Il régnait dans les lieux une ambiance décontractée. Une fois notre bébé né, le personnel s'est rassemblé autour de mon lit pour célébrer sa naissance et, en pleine nuit, nous avons pris le thé, à la mode anglaise. Notre petit Nicolas passait la journée avec moi dans ma chambre et regagnait la pouponnière seulement pour la nuit. Je suis restée dix jours à la clinique, une durée de convalescence que l'on considérait alors comme nécessaire. Moi qui ne tiens pas en place, j'ai trouvé ce séjour interminable.

Nous sommes rentrés à la maison avec notre magnifique poupon. Je dois admettre que nous avons été quelque peu désemparés lorsqu'il s'est mis à pleurer alors que nous étions désormais livrés à nous-mêmes pour en prendre soin. Nous avions pourtant fait nos devoirs en lisant les conseils du Dr Spock, un pédiatre américain très en vogue à l'époque.

Nous ne pouvions pas souhaiter mieux que Nicolas comme premier enfant. Claude était aussi fou que moi de ce bébé : dès qu'il rentrait, il jouait avec lui, lui donnait son bain, changeait ses couches.

L'année suivante, j'accouchais de ma fille, Élise, à la même clinique. C'est évidemment exigeant d'avoir deux enfants à un an d'intervalle. Mais nous avions l'énergie et l'insouciance propres à la jeunesse.

Dans le quartier, il y avait un zoo où je me rendais presque chaque jour avec ma poussette double. Je garde le souvenir de très agréables promenades avec Nicolas, treize mois, et Élise, âgée de quelques semaines. La grisaille légendaire de Londres, ce n'est pas ce que j'ai retenu de cette ville.

Puis vint le moment de rentrer au pays. Nous avons déménagé à Ottawa, car Claude venait d'être recruté à titre de recherchiste à la Commission royale d'enquête sur la fiscalité (la commission Carter). J'ai quitté Londres à mon grand regret. Je me rappelle que je pleurais beaucoup. J'aurais aimé faire ma vie à Londres, mais à l'époque les étudiants rentraient au pays une fois leur diplôme obtenu. Une génération après, les mœurs avaient changé. Mes deux enfants ont étudié à Londres. Nicolas y a passé plusieurs années après ses études, et Élise a choisi d'y rester.

Claude et moi avions parfaitement conscience du privilège qu'avait représenté ce séjour à l'étranger. Cette expérience nous avait permis de fréquenter une université multiculturelle de réputation internationale et de voyager dans toute l'Europe. Nous avions eu la chance de faire connaissance avec des gens de différentes cultures et religions au moment où le Québec sortait à peine de la Grande Noirceur. J'ai vécu à Londres quatre années et demie aux allures de conte de fées, qui m'ont littéralement éveillée au monde.

Ce séjour avait eu un autre avantage : offrir à nos enfants la citoyenneté britannique – qui leur donna automatiquement droit par la suite à la citoyenneté européenne –, en plus de leur citoyenneté canadienne. Tous deux ont ainsi pu étudier et travailler à Londres. Élise y vit depuis plus de trente ans, avec son mari Éric, né en France. Deux de leurs trois enfants, mon petit-fils Louis et ma petite-fille Zoé, ont été baptisés à l'église même où leurs grands-parents se sont mariés, en 1960.

Nous avons passé une année à Ottawa avant d'aller vivre deux ans à Baltimore, car Claude entreprenait son doctorat à l'Université Johns Hopkins, une université privée renommée, dotée d'un campus extraordinaire. Les étudiants étaient très majoritairement des Blancs issus des classes moyenne et aisée. L'environnement que j'avais connu à Londres – cosmopolite, ouvert – me manquait beaucoup.

Les Américains étaient repliés sur eux-mêmes. Un jour, un technicien venu réparer la ligne téléphonique m'a demandé pourquoi je m'adressais à mes enfants dans une langue étrangère. Il ignorait que c'était du français et ne comprenait pas que je leur parle une autre langue que l'anglais alors que nous étions aux États-Unis.

Un autre événement m'avait sidérée. J'avais organisé une fête pour l'anniversaire de Nicolas, où j'avais invité le fils d'un confrère de classe de Claude, qui était afro-américain.

Le lendemain, mes voisines étaient venues me demander si j'étais communiste ! Nous étions en 1965, mais il subsistait des traces du maccarthysme qui avait sévi au début des années 1950. Le combat pour les droits civiques des Noirs était à son apogée. Deux ans plus tôt, le révérend Martin Luther King avait mené sa célèbre marche sur Washington avec deux cent cinquante mille personnes, où il avait prononcé son discours *I Have a Dream*. Heureusement, le pays a changé depuis ce temps.

*

J'ai eu cette chance qu'ont rarement les mères d'aujourd'hui de pouvoir me consacrer entièrement à mes enfants jusqu'à ce qu'ils fassent leur entrée à l'école. Je les ai bercés pendant des heures, je leur ai raconté des histoires, j'ai fabriqué des tentes avec des draps tendus entre deux chaises. En toute insouciance et à l'abri des soucis financiers, j'ai pu savourer chacune des étapes de leur développement pendant ces premières années si fécondes, sachant que j'avais amplement de temps devant moi pour terminer mes études et amorcer ma carrière.

Sans hésiter, je peux affirmer que devenir maman à vingt ans a été l'une des meilleures décisions de ma vie. Cela m'a permis de vivre l'expérience de la maternité d'une manière plus légère, me semble-t-il. Encore aujourd'hui, je chéris ces moments de pur bonheur qui remontent à plus de quarante-cinq ans, mais qui m'apparaissent si vifs tandis que je les évoque ici.

De nos jours, les femmes fondent leur famille plus tard, soit dans la trentaine, parfois même au début de la quarantaine. Et si les hommes assument une plus grande part des tâches domestiques et des soins aux enfants qu'autrefois, ce sont majoritairement les femmes qui gèrent ce que j'appelle la PME familiale.

Les gens éclatent de rire lorsque je déclare que les hommes sont surtout devenus des « Ricardo ». Ils naviguent sur Internet pour y trouver de nouvelles recettes, font les courses dans plusieurs commerces spécialisés, en quête d'ingrédients rares. J'admire beaucoup Ricardo Larrivée et je vante souvent ses talents. Mais j'ai un message pour les jeunes pères épicuriens : même si vous consacrez d'interminables heures à faire la cuisine, cela ne compte pas pour plus de 10 % des tâches à partager dans le couple.

Les choses s'améliorent petit à petit, mais force est de constater qu'un grand nombre de femmes souffrent d'épuisement lié à ce «double fardeau». De plus, en ayant leurs enfants à l'âge où elles seraient mûres pour des promotions, les femmes se retrouvent écartelées entre leurs responsabilités parentales et leur désir de progresser dans leur carrière.

Combien de fois ai-je reçu dans mon bureau l'une de mes employées ayant une supposée «mauvaise nouvelle» à me communiquer et qui m'annonçait qu'elle était enceinte ! Je demandais à ces jeunes femmes si leur grossesse avait été désirée et elles me répondaient par l'affirmative. Heureuses d'attendre un enfant, elles considéraient cependant leur maternité comme un boulet au pied dans le cadre de leur travail. Elles étaient étonnées de voir leur patronne accueillir aussi bien leur annonce. La question ne se pose pas pour les hommes, qui sont perçus positivement par leurs employeurs lorsqu'ils deviennent pères.

Pour les femmes, la difficile conciliation famille-travail devient donc une source de grandes frustrations, et même de tourments. Plusieurs m'ont confié – parfois en larmes – qu'elles avaient l'impression de ne réussir ni en tant que mères, ni comme travailleuses.

Le marché du travail s'est mal adapté à la réalité des familles d'aujourd'hui, et ce sont les femmes qui en font les frais. Les entreprises doivent faire leur part pour permettre aux femmes de continuer à progresser dans leur carrière jusqu'aux plus hauts échelons décisionnels, sinon elles se démotiveront. Les entreprises qui restent aveugles à ces considérations perdent un avantage concurrentiel important, surtout dans le contexte du défi démographique qui se profile.

Je trouve déplorable de voir autant de femmes scolarisées et talentueuses mettre leur carrière en veilleuse une fois qu'elles deviennent mères, en faisant par exemple le choix de travailler à temps partiel ou en refusant des promotions. Or, étant donné le taux élevé d'unions qui se soldent par une rupture, j'exhorte les jeunes femmes à éviter de tomber dans ce piège, faute de quoi elles s'appauvriront. Dans mes conférences, je leur conseille même de demander une promotion dès leur retour au travail après leur congé de maternité. «Vous ne l'obtiendrez peut-être pas tout de suite, leur dis-je, mais vous envoyez ainsi un signal clair à votre employeur que votre travail est important pour vous. »

Je souhaite que le plus grand nombre possible de femmes puissent se réaliser dans leur carrière sans avoir à faire une croix sur le bonheur de fonder une famille.

De modestes origines

Ma mère ne s'était pas opposée à mon désir d'aller vivre à Londres, malgré les mises en garde de gens de son entourage qui trouvaient « effrayant » qu'elle laisse partir sa fille vers un monde inconnu. Elle savait que ce projet me rendait heureuse et l'avait encouragé autant qu'elle avait pu. Je pense qu'au fond elle m'enviait de m'envoler vers cette aventure.

Elle est venue nous visiter à Londres quelques mois après la naissance de Nicolas. À cinquante ans, elle faisait son baptême de l'air, impatiente de prendre dans ses bras le premier de ses petits-enfants, né si loin de chez elle. Ce furent deux mois fort agréables. Nous faisions de longues promenades avec le bébé, qu'elle ne se lassait pas de contempler, de cajoler. Je n'avais jamais vu ma mère d'aussi belle humeur.

Elle aurait aimé le genre de vie qu'elle me voyait mener. Comme celui de la majorité des couples de sa génération, son chemin de vie, tracé à l'avance, s'est avéré plutôt étroit. Jeune fille, elle avait fait ce que tous les jeunes faisaient à l'époque : elle s'était mariée et consacrée à sa famille. Avait-elle secrètement caressé d'autres projets ?

Je conseille souvent aux jeunes d'interroger leurs parents afin d'en apprendre le plus possible sur les événements qui les ont marqués, sur leur philosophie de vie, leurs pensées intimes. J'ai toujours éprouvé beaucoup de tendresse pour mes parents et, lorsqu'ils sont décédés, j'ai regretté que des questions que je me posais à leur sujet restent à jamais sans réponses.

Ce que je sais, c'est que ma mère, Cécile Labelle, avait quitté l'école très jeune à cause de problèmes de santé. Elle s'est mariée à Frédérick Georges Jérôme, qu'une amie lui avait présenté.

Mon père était un homme d'une droiture inébranlable, un brin taciturne. Je ne peux me rappeler une seule fois où il aurait joué avec moi. Il travaillait énormément – ce qui était le lot des hommes durant les périodes de la guerre et de l'après-guerre – et a toujours réussi à bien faire vivre sa famille. Il passait peu de temps à la maison. C'était ma mère qui veillait à notre éducation et prenait toutes les décisions nous concernant, ma sœur Jocelyne et moi.

Il était passionné par les sciences. N'ayant pas eu la chance de fréquenter l'école assidûment, il s'est perfectionné plus tard en suivant des cours par correspondance. Il était anglophone mais s'exprimait parfaitement en français. J'ai fait la majorité de mes études universitaires en anglais et j'ai de l'aisance à m'exprimer dans cette langue. Le fait d'avoir un père anglophone y est probablement pour quelque chose, même si nous parlions uniquement français à la maison.

Mes parents se montraient respectueux l'un envers l'autre et ne se disputaient jamais. Toutefois, je ne dirais pas qu'ils formaient un couple bien assorti.

La vie de ma mère me paraissait bien terne. D'autant plus qu'elle n'était pas d'un naturel jovial. Au retour de l'école, lorsque je lui demandais comment s'était passée sa journée, elle me répondait invariablement: «Pas pire.» Je présume que c'était une traduction de l'expression anglaise *not bad*.

Pour ma part, chaque journée m'offre des occasions d'utiliser les mots «merveilleux», «formidable», «superbe», qu'il s'agisse de qualifier une personne dont je viens de faire la connaissance, un film ou un paysage qui m'a enchantée. J'ai peut-être développé ce goût pour le superlatif en réaction au tempérament de ma mère.

Nous étions conscientes, ma sœur et moi, d'être son principal centre d'intérêt. Peu de possibilités s'offraient alors aux femmes, hors de la sphère domestique. Le mari était tenu de faire vivre sa famille et, dans la classe moyenne, il était considéré comme déshonorant pour une femme mariée d'avoir un travail rémunéré. J'avais une amie dont la mère travaillait chez Eaton, ce que la mienne jugeait presque scandaleux.

Cette idée que la place d'une femme était à la maison à s'occuper des siens a eu la vie tenace. Elle a réussi à culpabiliser les femmes qui ont voulu être sur le marché du travail. Je me souviens d'un jour où, en parlant avec ma mère, j'avais glissé tout bonnement dans la conversation que je ne pourrais pas être présente à la maison lorsque Claude reviendrait de sa semaine passée à Québec, puisque je serais retenue par une réunion importante. « Mais, Monique, m'a-t-elle interpellée, il faut que tu sois là quand ton mari va rentrer ! » J'avais répliqué : « Maman, les enfants vont sûrement reconnaître leur père, même s'ils ne l'ont pas vu pendant quelques jours. »

Claude a toujours été très présent auprès de nos enfants. Il n'y avait aucune raison pour que j'hésite à m'absenter. Mais par ce genre de commentaire, les femmes se faisaient rappeler à l'ordre. Le message était on ne peut plus clair : nous avions le droit d'étudier et d'exercer un métier, mais nos enfants et notre famille ne devaient en aucun cas en souffrir.

*

Ni mon père ni ma mère n'avaient d'intérêt pour les arts et les lettres. Il n'y avait aucun livre à la maison. Je n'ai pas grandi dans un environnement stimulant intellectuellement. Je l'affirme sans adresser le moindre reproche à mes parents, qui étaient sincèrement préoccupés par le bonheur de leurs deux filles. Nous étions semblables en cela à la majorité des familles québécoises. Nous traversions les années d'après-guerre et les gens avaient appris à se satisfaire de l'essentiel. C'est ma sœur Jocelyne qui m'a emmenée pour la première fois à la bibliothèque de notre quartier, que je me suis mise à fréquenter assidûment.

En fait, c'est à partir de ma rencontre avec Claude que j'ai senti mes horizons s'élargir d'une manière que je n'avais jamais entrevue. Mon mari est issu d'une des grandes familles francophones qui ont façonné le Québec. Son aïeul Louis-Joseph Forget était devenu en 1895 le premier francophone à présider la Bourse de Montréal. Le neveu de Louis-Joseph, Rodolphe Forget, a contribué au développement de la région de Charlevoix en tant qu'homme d'affaires et député fédéral conservateur. Sa fille était nulle autre que Thérèse Casgrain, féministe de la première heure et l'une des principales responsables de l'obtention du droit de vote des femmes au Québec, en 1940.

Le père de Claude était comptable et sa mère, qui avait près de quarante ans lorsqu'elle s'est mariée, menait une vie de femme indépendante à une époque où c'était très rare. Farouchement anticléricaux, ils se sont opposés à ce que leur fils unique fréquente un établissement dirigé par des religieux. Sa mère a d'abord assuré son instruction, puis un professeur laïc est venu lui donner des cours à domicile jusqu'à ce qu'il entre à l'université. L'éducation très libre que Claude a reçue a contribué à lui donner cette assurance, à lui insuffler cette confiance en ses moyens. Il avait le sentiment que toutes les portes lui étaient grandes ouvertes. Et dès lors que nous avons uni nos destinées, ce qui valait pour lui valait aussi pour moi.

Nous avons offert à nos enfants un milieu de vie qui contraste avec celui où j'ai grandi. Claude et moi avions à table, à propos de la politique québécoise et internationale, des discussions enlevantes que Nicolas et Élise appréciaient beaucoup. Nous n'avions pas toujours le même avis, de sorte que c'était d'autant plus intéressant à suivre pour eux. Élise garde le souvenir que les repas du soir à la maison étaient toujours un événement.

Cette confrontation d'idées les a imprégnés et ils sont tous deux devenus très avertis sur les questions politiques. Même à un jeune âge, ils se sont intéressés aux campagnes électorales de leur père. Plus tard, sans vraiment nous en parler, ils ont participé aux élections de l'Association étudiante de l'Université McGill. Ils devaient faire campagne, et c'était très compétitif. Les deux se sont fait élire pour siéger à ce conseil d'administration de huit étudiants. De façon toute naturelle, dans le cadre de notre vie quotidienne, nous leur avons transmis notre intérêt pour la politique.

Docteure Forget

À Londres et à Baltimore, mes études avaient été intermittentes, menées au gré de mes intérêts du moment et interrompues par mes grossesses. J'y avais étudié l'économie, l'histoire et les sciences politiques. Je savais que je retournerais à l'université, mais je ne me sentais pas pressée. J'avais la vie devant moi.

Nous sommes revenus à Montréal en 1966. Claude est devenu professeur au département d'économie de l'Université de Montréal. Nicolas et Élise, âgés de cinq et de quatre ans, fréquentaient la maternelle et j'ai pu commencer à m'investir sérieusement dans mes études.

Avant de me marier, j'avais suivi les orientations proposées par mes parents, qui ne m'avaient pas encouragée à poursuivre ma scolarité au-delà du secondaire. J'adorais étudier et je réussissais très bien. Rétrospectivement, je juge quelque peu étonnante la docilité avec laquelle j'ai accepté d'arrêter mon parcours scolaire après le collège, d'autant plus qu'une de mes amies avait terminé son baccalauréat en sociologie et s'apprêtait à aller faire son doctorat à l'Université Columbia, aux États-Unis. Mais à part de rares exceptions, les études universitaires étaient la prérogative des garçons. Nous, les filles, devions nous contenter de devenir des ménagères, ce que la grande majorité des femmes de ma génération a effectivement fait.

Mon ambition ne s'est donc pas affirmée lorsque j'étais très jeune. Avec les années, à force de relever avec succès les défis qui m'étaient proposés, je suis devenue plus consciente de mes capacités et, forcément, plus ambitieuse. Or, je n'ai jamais été carriériste, au sens où j'aurais déterminé à l'avance des objectifs précis. Je ne voyais pas ma vie professionnelle comme une échelle à laquelle je devais grimper pour arriver au sommet. Je vivais chaque étape intensément, sans penser à ce que je ferais dans l'avenir. Chaque fois que j'acceptais une nouvelle proposition qui m'emballait, je me trouvais chanceuse d'avoir cette occasion.

Je me rends compte que j'ai conservé cette grande faculté à m'émerveiller que j'avais déjà enfant. J'ai toujours apprécié ma vie, quoi qu'elle ait à m'offrir, même à l'époque où je partageais un lit double avec ma sœur dans notre modeste appartement familial de l'avenue de Gaspé. Je n'ai pas de mérite : c'est sans effort particulier que je me retrouve chaque jour du côté du bonheur. Je me lève de bonne humeur. J'étais déjà comme ça toute petite, de sorte que ma grand-mère m'appelait la batte-feu ! Un batte-feu est un briquet, et je pense qu'elle faisait référence à la personne qui était debout avant les autres pour chauffer la maison. Je me réveillais en chantant et j'étais toujours heureuse, selon ce qui m'a été rapporté.

*

Claude et moi avons fait beaucoup de choses ensemble, dont d'inoubliables voyages, tout en réussissant à garder un espace qui nous était propre. Nous avons respectivement mené des vies professionnelles très intenses en nous réjouissant de voir l'autre s'épanouir pleinement de son côté.

Il a travaillé à titre de sous-ministre et de ministre à Québec pendant plusieurs années, ne revenant que le jeudi soir. J'ai fait de même à Ottawa lorsque j'ai été sous-ministre adjointe au ministère de la Santé et du Bien-être. Ces séparations hebdomadaires, qui cassaient la routine, stimulaient notre intérêt l'un pour l'autre et enrichissaient nos conversations lorsque nous nous retrouvions. Or, cette manière de vivre périodiquement séparés, qui nous convenait très bien, étonnait beaucoup de gens. Je crois que le fait que nous nous soyons accordé cette possibilité de mener nos carrières sans entraves a favorisé notre bonne entente et notre longévité conjugale.

*

Mon mari a été le premier à reconnaître mon potentiel et à m'inciter à le développer. Je peux même dire qu'il l'a perçu plus clairement que moi-même. Il était d'avis que les femmes avaient autant que les hommes le droit de se réaliser sur le plan professionnel. Cette ouverture d'esprit avait probablement à voir avec le fait que sa mère, qu'il admirait beaucoup, était une femme indépendante et cultivée. Jamais il n'a pris ombrage de mon succès. Il m'a même déjà dit qu'il trouvait que j'avais mieux réussi que lui en politique, parfaitement serein devant ce constat.

Au début de nos fréquentations, lorsque je lui ai parlé de mon désir d'aller à l'université, il m'a répondu le plus simplement du monde qu'on organiserait notre vie de manière que je puisse pousser mes études jusqu'au doctorat si je le souhaitais.

Au départ, j'avais envisagé une formation en travail social. Claude me suggérait plutôt d'investir un domaine plus masculin, comme le droit. J'ai choisi la psychologie. Ce qui m'intéressait, dans cette discipline, c'était moins de sonder l'inconscient que de comprendre le comportement humain et de savoir ce qu'il était possible de faire concrètement pour améliorer la qualité de vie d'une personne aux prises avec un problème. Voilà pourquoi j'étais attirée par le béhaviorisme. Ce courant de pensée, qui était alors le plus innovateur en psychologie, se concentre sur le comportement observable d'un individu. J'appréciais son caractère scientifique, la discipline très rigoureuse qui sous-tendait la recherche clinique. À l'Université McGill, d'éminents professeurs l'enseignaient. J'ai donc fait mon baccalauréat et mon doctorat à McGill.

Sans l'appui indéfectible et les encouragements de mon mari, il m'aurait été difficile de pousser mes études jusqu'au doctorat. Étant lui-même passé par là, il était parfaitement conscient du temps et de l'énergie que cela exigerait de ma part, d'autant plus que nous avions deux enfants en bas âge. Nous avons donc convenu d'avoir recours à une aide familiale qui vivrait avec nous. C'était une solution onéreuse. Elle représentait aussi le sacrifice de notre intimité. Mais de pouvoir compter sur ce précieux soutien m'a permis de me consacrer à mes études en toute quiétude. La jeune femme s'occupait des enfants et de diverses tâches ménagères lorsque je m'absentais pour mes cours ou pour étudier à la bibliothèque. Quelques-unes se sont ainsi succédé au fil des ans, dont Frédérique, une Française avec qui j'ai gardé de chaleureux contacts.

Dans les années 1970, il n'y avait ni garderies ni services de garde en milieu scolaire. Il existait un consensus social selon lequel les mères de jeunes enfants devaient rester à la maison pour s'occuper d'eux et des tâches ménagères. J'admets qu'il fallait du cran pour s'opposer à ce diktat, ce qui ne signifie pas pour autant que j'étais immunisée contre le sentiment de culpabilité. Toutes les femmes, un jour ou l'autre, se sentent coupables de « délaisser » leurs enfants. Pour leur part, les hommes éprouvent rarement ce sentiment, même lorsqu'ils mènent une vie professionnelle très prenante. Claude ne s'est jamais senti coupable de s'absenter plusieurs jours par semaine lorsqu'il travaillait à Québec.

L'anecdote suivante illustre bien à quel point la corde sensible de la culpabilité était facile à pincer. Ma fille Élise devait avoir cinq ou six ans lorsqu'elle est venue me voir, tout heureuse de me montrer le tablier à carreaux que lui avait confectionné la mère de son amie Sophie. Instantanément, je me suis sentie mal d'être trop prise par mes études pour lui procurer la joie de porter un vêtement fait par sa maman. J'étais en période d'examens. J'ai tout de même laissé mes livres de côté et suis allée acheter du tissu blanc et un patron de couture Simplicity, une marque dont le nom même sous-entendait que toute femme normalement constituée pouvait confectionner des vêtements. J'ai ressorti d'un placard une vieille machine à coudre qu'on m'avait donnée. Après avoir religieusement suivi les instructions fournies avec le patron, je me suis mise à la tâche. Le lendemain, j'offrais à Élise une robe blanche visiblement imparfaite, qu'elle a néanmoins portée avec fierté jusqu'à ce qu'elle ne lui aille plus.

La liste de ce que les femmes très prises par leur travail sont prêtes à faire pour que leurs enfants ne manquent de rien est longue. Alors qu'elle était présidente et chef de la direction de Rio Tinto Alcan, Jacynthe Côté voyageait beau-coup partout dans le monde. Elle m'a confié qu'elle achetait toujours en double les livres de lecture de ses enfants afin de pouvoir en discuter avec eux, même à des milliers de kilo-mètres de distance. Je n'ai pas connu de père qui poussait aussi loin son sens du devoir.

Je pense toutefois que les mères d'aujourd'hui ont ten-dance à surinvestir la vie de leurs enfants, peut-être pour se sentir indispensables. Les femmes doivent laisser le champ libre à leurs conjoints et éviter de rouspéter lorsqu'ils font les choses à leur façon. J'ai moi-même dû cesser de considérer la cuisine comme ma chasse gardée. Alors que je travaillais au CLSC Métro, j'ai dû m'absenter tous les soirs pendant quelques semaines et accepter que mon mari et mes enfants prennent leur repas sans moi. À ma grande surprise, Claude avait sorti le wok et s'était mis à la cuisine chinoise. Les enfants avaient collaboré et beaucoup apprécié ce moment passé avec leur père. Je n'ai plus jamais préparé de mets chinois, qui sont devenus la spécialité de Claude.

*

J'ai fait ma thèse de doctorat sur le bégaiement. Essentiel-lement, je posais la question suivante : le bégaiement est-il causé par un traumatisme subi dans l'enfance ou résulte-t-il d'une affection physiologique particulière? Autrement dit, s'agit-il d'un trouble psychologique ou neurologique? Sachant que les comédiens bègues cessent de bégayer lorsqu'ils se retrouvent sur scène, j'ai cherché à mettre au point une thérapie cognitivo-comportementale qui permettrait de corriger ce trouble de la parole.

Il faut savoir que, parmi les étudiants qui terminent leur scolarité de doctorat, une minorité seulement se rendent jusqu'à la soutenance de leur thèse et obtiennent leur diplôme. Il s'agit d'un processus fort exigeant. J'ai pour ma part frappé un mur le jour où l'on m'a avisée que l'examinateur externe responsable d'évaluer ma thèse de doctorat exigeait que je fasse des analyses supplémentaires. En apprenant cette décision, je me suis effondrée. J'avais tout donné et trouvais inutile d'en faire davantage. J'ai appelé Claude, qui travaillait à Québec, et lui ai demandé de revenir au plus vite à la maison. Il m'a trouvée prostrée, complètement bouleversée.

Une fois passée cette période d'abattement, je me suis retroussé les manches et j'ai passé quelques mois à effectuer d'autres analyses. Mon directeur de thèse, le Dr Ernest Poser, s'est montré d'un grand soutien. Je pense qu'il avait été aussi éberlué que moi par ce verdict sévère de l'examinateur externe.

J'ai soumis de nouveau ma thèse et j'ai pu enfin passer à l'étape de la soutenance, qui s'est révélée un autre moment très anxiogène. L'épreuve vise à vérifier les connaissances de l'étudiant. Elle dure deux heures, devant un jury formé de professeurs, dont l'examinateur externe. J'avoue aujourd'hui que j'avais pris un calmant. Mon stress était à son apogée et je suis persuadée qu'autrement je ne serais pas parvenue à offrir la même performance.

Après ma prestation, comme c'est la règle, j'ai attendu à l'extérieur de la salle pendant les délibérations du jury. Ce furent les quinze minutes les plus longues de ma vie. Puis j'ai regagné la salle, où tout le monde s'est levé. Le président du jury m'a dit: «Félicitations, docteure Forget.» J'avais les larmes aux yeux. D'ailleurs, en écrivant ces lignes, j'ai encore les yeux humides.

C'était en 1977. Je ne me souviens pas que nous ayons célébré l'obtention de mon diplôme comme un événement important. Claude m'a accompagnée à la collation des grades, mais mes parents, ma sœur et mes deux adolescents n'ont pas assisté à l'événement.

Lorsque ma fille a obtenu son troisième diplôme de maîtrise, en *Creative Writing*, je me suis montrée étonnée qu'elle ait retiré ses enfants de l'école ce jour-là afin qu'ils assistent à la petite cérémonie, alors qu'elle n'était pas venue à la remise de mon doctorat. Elle m'a aussitôt répondu, avec un brin de reproche dans la voix, que je n'avais que moi-même à blâmer. Elle se rappelait que je n'avais pas insisté pour que son frère et elle soient présents et que, plus tard, je n'avais pas non plus souligné l'obtention de leurs diplômes. Elle avait raison.

Pourtant, j'étais très fière d'avoir obtenu ce doctorat. Il représentait beaucoup pour moi, car je savais qu'il serait la clé qui ouvrirait toutes les portes sur mon parcours professionnel. Pourquoi n'avais-je pas célébré ma réussite? Claude n'est jamais allé chercher l'un de ses diplômes, pas même lorsqu'il a passé son Barreau. Après tout, ce n'était qu'un bout de papier. Comme il était mon modèle en ce domaine, j'ai probablement adopté la même désinvolture sans en être consciente. J'appelais même mon diplôme ma licence de chien! Aujourd'hui, je me dis que j'aurais dû inviter toute ma famille à la collation des grades et prendre le temps de fêter mon succès.

Je répète à qui veut l'entendre que l'éducation mène à tout. C'est grâce à elle que l'on dispose de la liberté de faire des choix et que l'on atteint l'autonomie financière. Pendant vingt-cinq ans, Claude et moi avons tout investi dans nos études et dans celles de nos enfants, qui sont tous deux diplômés de la London School of Economics. Cette priorité a conditionné notre mode de vie pendant que nous élevions notre famille. Contrairement à ce que les gens semblent croire, je ne suis pas née avec une cuiller d'argent dans la bouche. L'aisance financière est arrivée tardivement dans ma vie, à force de travail et d'économies.

*

À l'Université McGill, avec onze autres étudiants au doctorat, j'ai eu la chance de suivre les séminaires du Pr Donald Hebb, une sommité internationale dans le domaine des neurosciences cognitives et du béhaviorisme.

Pour nous apprendre à structurer notre pensée et à communiquer oralement le plus efficacement possible, le Pr Hebb nous imposait des sujets que nous devions présenter et défendre devant la classe dans un exposé oral rigoureusement minuté. Un jour, mon tour venu, j'ai pris la parole, après quoi il s'est mis à me questionner d'une manière incisive qui laissait croire que j'avais mal compris mon sujet. J'étais déstabilisée. J'ai alors entrepris de nuancer mes propos. Plus il s'opposait à mes opinions, plus je reculais par rapport à ce que je venais d'énoncer. Il a mis fin à notre échange en me disant devant tout le monde : « *Monique, why don't you stick to your guns ?* » En fait, il avait trouvé mon exposé très cohérent. Ce qu'il me reprochait, c'était de n'être pas restée fidèle à mes convictions, d'avoir changé mon fusil d'épaule à la première objection. Je n'ai jamais oublié cette précieuse leçon, qui m'a beaucoup servi dans ma carrière politique.

*

En 1960, l'année de mon mariage, les femmes prenaient automatiquement le patronyme de leur mari. Une fois mes études terminées, j'ai voulu me réapproprier mon nom de jeune fille, Jérôme. Comme j'étais connue sous le nom de Monique Forget depuis plus de dix ans, j'ai opté pour la continuité avec Jérôme-Forget. Mes enfants étant des Forget, j'aimais aussi l'idée que nous ayons un nom familial.

Comprendre le comportement humain

Mes connaissances en psychologie m'ont été fort utiles, tant dans ma vie personnelle que dans ma vie professionnelle. Elles ont teinté ma vision des choses dans de multiples situations. Au cours de ma carrière politique, une compréhension fine du comportement humain m'a aidée à rester sereine devant la résistance au changement, qui représente à mon avis le principal obstacle qui se dresse devant les politiciens.

Je considère qu'il faut avoir beaucoup de sagesse et de modestie pour se lancer en politique, parce que bien souvent on ne parvient pas à réaliser les idées et les projets qui ont animé notre engagement. C'est une erreur de croire que l'accès au pouvoir vous laisse les coudées franches, et ce, même si vous êtes aux commandes d'un ministère de premier plan comme le Conseil du trésor ou le ministère des Finances.

Même s'ils affirment le contraire, les gens – tant les citoyens que les députés et ministres – ne sont généralement pas prêts pour les grands changements qui les affecteraient directement et préfèrent souvent le *statu quo.*

Ma formation m'a enseigné que l'évolution se fait peu à peu. Si vous tentez de grimper d'un étage sans monter les marches l'une après l'autre, il y a de grands risques que vous vous effondriez.

Il faut également savoir que, en politique, ce que l'on appelle le *timing* compte pour beaucoup. Des idées qui suscitent de fortes objections à une certaine période pourront être acceptées dix, quinze ou vingt ans plus tard, lorsque la conjoncture aura changé.

Je reviendrai ici sur deux projets qui me tenaient à cœur et que je n'ai pas réussi à faire progresser comme je l'aurais voulu.

Je m'intéressais depuis un bon moment à la question de la réforme du système de santé lorsque le Parti libéral a pris le pouvoir, en 2003, et que j'ai été nommée présidente du Conseil du trésor. Quelques années auparavant, alors que je présidais l'Institut de recherche en politiques publiques (IRPP), nous avions reçu des spécialistes internationaux qui nous avaient présenté les meilleures pratiques en matière de gestion de la santé dans le monde. Mon mari et moi avions par ailleurs publié en 1998 un livre sur ce sujet intitulé *Qui est maître à bord ? Projet de réforme du système de santé canadien.* Nous avions étudié les exemples des pays qui avaient réformé leur système de santé, afin de proposer des avenues novatrices qui seraient applicables chez nous.

À l'heure actuelle, notre système de santé fonctionne de manière centralisée. Nos hôpitaux reçoivent des budgets globaux et l'État rémunère les médecins à l'acte. Notre livre préconisait une formule où le patient, en collaboration avec son médecin, se trouverait au cœur des décisions à prendre concernant les soins qu'il requerrait. Le médecin « achèterait » ensuite les services de santé pour son patient, dans l'établissement le mieux à même de les lui dispenser. Le financement resterait public et universel. On résume souvent ce modèle en disant que « l'argent suit le patient ». Il s'agirait donc des mêmes fonds publics, mais administrés de manière plus efficace. Ce serait le système de santé qui s'adapterait aux besoins des bénéficiaires, au lieu d'exiger d'eux qu'ils s'ajustent à un environnement souvent bureaucratique qu'ils ont du mal à comprendre. Avec cette philosophie, les choix des patients exercent une influence réelle sur la prestation des soins et l'allocation des ressources.

Notre livre arrivait manifestement trop tôt, puisque personne n'a cru bon de s'en inspirer, ni même d'en discuter. Je dois admettre que cela m'a beaucoup déçue. J'avais cru que mes collègues du caucus libéral s'intéresseraient à l'expertise que j'avais acquise dans ce dossier névralgique. Au début des années 2000, on cherchait déjà depuis des années des moyens d'optimiser le réseau de la santé et de freiner la pression qu'il exerce sur les dépenses de l'État.

C'est à Philippe Couillard, un neurochirurgien de grande réputation, que le premier ministre Jean Charest a confié le dossier de la santé. Issu du milieu de la santé et ayant publié dans les journaux ses vues sur l'amélioration du système, il apparaissait comme l'homme de la situation, celui qui était le plus apte à régler les problèmes. Je les ai tous deux mis en garde contre le fait que la demande en matière de soins était illimitée.

De mon point de vue de présidente du Conseil du trésor, les sommes injectées dans le système de santé étaient élevées, bien que je reconnaisse qu'elles ont permis d'équiper adéquatement nos hôpitaux et d'offrir des traitements dans des délais raisonnables. Rappelons-nous qu'il n'y a pas si longtemps des patients atteints de cancer devaient se rendre aux États-Unis afin d'y recevoir leur traitement dans des délais jugés médicalement acceptables, ce que ne pouvait leur offrir le système québécois.

Nous avons relevé le défi. En revanche, nous ne sommes pas parvenus à améliorer significativement l'accès aux soins de première ligne, bien que des efforts aient été faits en ce sens, notamment par la création d'un grand nombre de groupes de médecine familiale. Il s'agit d'un problème structurel de notre système de santé.

Je pense que les solutions que je proposais dans mon livre demeurent pertinentes. Aujourd'hui, le mode de financement de la santé axé sur les besoins des patients est implanté dans presque tous les pays développés, et il suscite de l'intérêt au Québec. Plus de dix ans après que j'ai tenté de promouvoir cette approche, on semble en effet vouloir s'en inspirer. Alain Dubuc, éditorialiste à *La Presse*, a qualifié l'initiative de véritable révolution, tout en soulignant qu'elle était toutefois difficile à vendre à la population : « […] pas de millions, pas de rubans à couper, des résultats dans quatre ou cinq ans », a-t-il écrit dans un article publié le 24 février 2014.

*

L'autre réforme que je n'ai pas pu mener à bien comme je l'aurais souhaité est celle de la réingénierie de l'État, que le premier ministre Jean Charest m'avait confiée.

Je n'ai jamais aimé le terme « réingénierie ». À l'instar des chercheurs David Osborne et Ted Gaebler – les auteurs du best-seller *Reinventing Government*, que nous avions reçus à Montréal dans les années 1990 lorsque j'étais présidente de l'Institut de recherche en politiques publiques (IRPP) –, je préférais parler de « réinventer l'État ». Cela consistait à revoir l'ensemble des activités menées par le gouvernement afin d'adopter des méthodes de gestion plus performantes et moins coûteuses. Faire plus avec ce que l'on a ; c'était l'idée principale qui sous-tendait mes interventions.

Contrairement à ce qui a été prétendu, mon intention n'était pas de décimer la fonction publique. J'étais issue de la haute fonction publique et je savais apprécier les fonctionnaires. Pour la plupart, ces gens aiment leur travail et le font avec une grande compétence. Je voulais les revaloriser et rendre leurs tâches plus efficaces. Par exemple, on m'avait informée que pour embaucher quelqu'un, le processus durait parfois plus d'un an. J'ai essayé de travailler en concertation avec les fonctionnaires, de les écouter et de voir comment améliorer leurs aptitudes, en matière de gestion notamment.

Afin de rendre le gouvernement plus performant, et dans la perspective de respecter les cibles budgétaires, nous avions décidé de ne remplacer qu'un fonctionnaire sur deux qui prenaient leur retraite. En 2003, les prévisions indiquaient que 40 % des employés de la fonction publique quitteraient leur poste au cours des dix années suivantes. Bien entendu, nous procédions avec discernement; il n'était pas question d'appliquer cette règle aux agents des services correctionnels, par exemple.

Ce fut une démarche extrêmement importante, à laquelle d'ailleurs la France s'est intéressée. J'ai en effet reçu une délégation française venue s'enquérir de la manière dont nous avions procédé. Toutefois, cette mesure à elle seule était nettement insuffisante. C'est la raison pour laquelle j'ai confié à des fonctionnaires de mon ministère, épaulés par des consultants, le mandat de déterminer quels organismes étaient superflus. Mais bien peu d'économies ont résulté de cette initiative.

Contrairement à ce que l'on dit et répète, il y a eu d'importants changements malgré tout. Je pense au secteur de la santé, où nous avons diminué considérablement le nombre d'unités d'accréditation syndicale afin de permettre aux gestionnaires d'établissements de gérer plus efficacement le personnel pour répondre aux besoins des patients. Nous avons aussi modifié l'article 45 du Code du travail pour faciliter le recours à la sous-traitance, une intervention jugée indispensable pour assurer le développement économique du Québec.

Tous les ministres devaient superviser la révision des programmes gouvernementaux relevant de leur ministère. Or, quand vint le moment d'apporter des changements à certains d'entre eux, il y eut peu de porteurs de ballon. Mes collègues ministres choisirent de passer leur tour. Aucun ne voulait que l'on touche à «ses» programmes.

Je crois qu'il est illusoire de penser qu'on peut épargner beaucoup d'argent sans toucher aux programmes gouvernementaux. C'est là que se trouve le nœud du problème. L'État-providence a ses limites. Certains de nos programmes coûtent désormais trop cher. Nous n'avons plus la capacité de les payer, sauf qu'avec le temps ils deviennent des vaches sacrées. Si vous tentez d'y toucher – et je parle en connaissance de cause –, vous êtes perçu comme un envoyé du diable qui vient menacer les acquis sociaux et attaquer le modèle québécois.

Prenons les garderies à tarif unique, par exemple. Il s'agit d'un excellent programme, qui favorise le développement des enfants et facilite l'accès des parents au marché du travail. Mais pour qu'il soit viable, la contribution financière d'une partie des utilisateurs – ceux qui ont les revenus les plus élevés – se doit d'être beaucoup plus importante. De plus, les places en garderie ne sont pas offertes qu'aux parents qui travaillent, mais aussi à ceux qui ne sont pas sur le marché du travail et qui y ont recours pour pouvoir aller jouer au tennis ou au golf pendant la journée. Bien sûr, il s'agit de cas isolés, mais ils nous incitent tout de même à questionner l'universalité de ce programme.

Ce n'est pas pour rien qu'un réseau de garderies aussi largement subventionné par l'État n'existe nulle part ailleurs. La France a opté pour une approche plus équitable, à mon avis, puisque les tarifs varient en fonction du revenu des parents. Dans les années où j'étais à l'IRPP, Pierre Lefebvre, professeur au département d'études économiques de l'École des sciences de la gestion de l'UQAM, a mené une étude approfondie du programme québécois de garderies. Sans équivoque, il concluait que les familles les plus nanties étaient proportionnellement plus avantagées par cette formule. Le gouvernement Couillard a annoncé qu'il rectifierait le tir. J'ai cité l'exemple des garderies subventionnées, mais il en va de même du généreux régime d'assurance parentale.

Lorsque le déficit structurel du Québec s'élève à 2,6 milliards, il est clair que les représentants des grandes agences de notation financière (Fitch, Moody's, Standard & Poor's, entre autres) rappellent au ministre des Finances la possibilité d'une décote. Ces gens-là ne se montrent pas sentimentaux. Ce sont les chiffres qui les intéressent et, croyez-moi, ils savent comment analyser les documents et tirer les conclusions qui s'imposent. Rien n'échappe à leur attention.

Chaque gouvernement redoute la décote. Si la cote de crédit du Québec passe de AA à A, notre capacité d'emprunt sur les marchés internationaux s'en trouve lourdement affectée, car les frais d'intérêts augmentent.

J'ai moi-même reçu les représentants des agences de notation à mon bureau lorsque j'étais ministre des Finances. Un brin arrogante, je l'admets, j'ai tenté de les convaincre que le Québec devrait avoir une meilleure cote, puisqu'il est propriétaire d'Hydro-Québec, dont la valeur est importante. Ils m'ont répondu qu'ils en tiendraient compte le jour où cet actif serait vendu et que le gouvernement aurait encaissé les sommes d'argent.

Il faut aujourd'hui se rendre à l'évidence que la réingénierie de l'État s'est révélée un demi-succès pour notre gouvernement. Bien que nous ayons instauré des améliorations notables, nous n'avons vraisemblablement pas répondu aux attentes que cette initiative avait suscitées.

Devant l'opposition qui se manifestait de toutes parts, le gouvernement a révisé ses ambitions. Peut-être a-t-il fait le bon choix. Un gouvernement doit savoir jauger la capacité de la population à accepter le changement et ajuster ses interventions en conséquence, ce qui veut même parfois dire reculer devant l'ampleur des réactions. Ce n'est pas un sacrilège que de faire marche arrière. Un autre moment sera peut-être plus propice. Il n'en reste pas moins que la difficulté de prendre des décisions impopulaires, mais importantes pour l'économie du Québec, s'avère le grand dilemme des politiciens. Souhaitant se faire réélire au terme de leur mandat – ce qui est parfaitement légitime –, ils évitent de déplaire à une frange ou l'autre de l'électorat.

Et que dire des médias? Ils critiquent allègrement le gouvernement s'il annonce un déficit et le condamnent avec la même vigueur lorsqu'il hausse les tarifs ou limite les dépenses publiques afin d'atteindre l'équilibre budgétaire. Ils entretiennent ainsi ce que j'appelle notre schizophrénie collective.

L'ÉPOUSE

Entrevue avec Claude Forget

Dès le début de ma collaboration avec Monique pour l'écriture de ce livre, il avait été convenu que je la rejoindrais au Mexique au cours de l'hiver 2014, dans la maison qu'elle et son mari possèdent à Mérida. Capitale de l'État du Yucatán, Mérida se trouve à quelques heures de voiture de la Riviera Maya et non loin des sites des anciennes cités mayas de Chichen Itza et d'Uxmal.

Monique ne m'avait pratiquement rien dit de la beauté du lieu, à part qu'il serait le cadre idéal pour travailler ensemble au livre, en toute tranquillité. En revanche, elle m'avait beaucoup parlé de son mari, notamment de son érudition, dont j'ai pu profiter au cours de cette semaine passée avec eux. « Il lit énormément et, contrairement à moi, il retient tout et peut nous entretenir de nombreux sujets pendant des heures », avait-elle précisé.

La façade typique des *casas* mexicaines en rangée ne laissait rien présager du ravissement qui me saisirait lorsque je franchirais le seuil et découvrirais la cour intérieure vers laquelle convergent les pièces de la maison. Une piscine turquoise est sertie dans une luxuriante végétation : oiseaux du paradis, bougainvillées, palmiers et papyrus, énormes agaves en pots.

Tandis que nous visitions la propriété, Claude Forget m'a renseignée sur les travaux de rénovation qu'il a lui-même supervisés. Le fond de la piscine est enduit de chaux mélangée à de l'argile, une technique que les Mayas utilisaient déjà plus de deux mille ans avant Jésus-Christ pour imperméabiliser leurs citernes et réservoirs. « Hormis quelques ruisseaux côtiers, la péninsule du Yucatán ne compte pas de rivières. Les eaux pluviales s'écoulent par des cours d'eau souterrains accessibles seulement en quelques endroits appelés *cenotes*. Le peuple maya a dû déployer une incroyable ingéniosité pour collecter et conserver l'eau dans un climat où sévissent des périodes de sécheresse. » Claude Forget ne tarit pas d'éloges envers l'habileté et l'endurance des ouvriers qui ont travaillé sous un soleil de plomb afin de bâtir leur coin de paradis.

À la nuit tombée, nous montions sur la mezzanine à ciel ouvert qui surplombe la cour intérieure. Un éclairage artificiel disséminé parmi les plantes prenait alors le relais de la lumière du jour, créant une ambiance veloutée propice aux conversations. C'est là, avec un certain étonnement, que j'ai découvert que Monique aimait fumer le cigare avec son mari. Ce rituel fait partie de leur art de vivre à la mexicaine.

Le soir de mon arrivée, ils m'ont raconté les circonstances de l'achat de la maison. Ils étaient d'abord tombés sous le charme d'une *hacienda*, une exploitation agricole comprenant une magnifique maison de maîtres. « Nous avions commencé à en planifier l'aménagement, s'est remémoré Claude Forget, puis nous avons réalisé qu'à titre de propriétaires terriens nous deviendrions responsables d'une cinquantaine de personnes. Le personnel domestique et agricole, mais également leurs familles, puisque ce sont des travailleurs très pauvres. Or, nous recherchions plutôt un endroit pour nous reposer et recevoir parents et amis. Monique venait d'être élue et elle n'aurait pas le temps de s'investir entièrement dans cette aventure. Nous avons dû nous rendre à l'évidence que ce mode de vie ne nous convenait pas, mais disons que c'est avec une certaine tristesse que nous avons fait marche arrière avec ce projet. »

Tout en écoutant son mari, j'imaginais Monique fondant une école de campagne, tel Leon Tolstoï pour les enfants des moujiks travaillant sur ses terres, à Iasnaïa Poliana. Elle a confirmé mon intuition. « Tu as tout à fait raison ! J'aurais voulu améliorer le sort des femmes et des enfants. Je n'aurais pas pu rester là à me prélasser et à me faire servir, sachant que ces gens vivaient dans le dénuement le plus total. »

Le couple a finalement acquis en 2003 une grande *casa* de style colonial dans le district historique de Mérida. Au fil des ans, Monique et Claude ont assisté à l'essor de Mérida, qui est aujourd'hui une destination touristique de choix. En résidant en plein cœur de la ville, ils profitent des nombreuses activités culturelles qui y sont offertes et peuvent se rendre à loisir aux plages du golfe du Mexique en parcourant une trentaine de kilomètres en voiture.

Au cours de cette semaine à Mérida, j'ai fait de mon mieux, dans mon espagnol rudimentaire, pour communiquer avec Jenny, la jeune femme qui s'occupe de l'entretien ménager. Elle s'est empressée de me montrer une photo de son fils et de sa fille. Elle m'a confié qu'elle avait dû quitter l'école après le cours primaire, même si elle était bonne élève, et qu'elle remerciait le Ciel que ses enfants aient la chance de s'instruire. J'ai appris par la suite que c'était Monique qui payait les frais de leurs études secondaires.

Claude Forget, plus solitaire et réservé que son épouse, apprécie le don qu'elle possède pour tisser aisément des liens. « Notre vie sociale dépend largement d'elle. Moins d'un an après sa démission, nous avions presque autant d'amis et de réceptions à Mérida qu'à Montréal, où l'on vit depuis toujours, déclare-t-il en riant. Je me réjouis qu'elle passe désormais les mois d'hiver ici avec moi. Lorsqu'elle était ministre et qu'elle devait rentrer au Québec après le congé des fêtes, nos conversations sur toutes sortes de sujets me manquaient beaucoup. Bien sûr, nous nous parlions chaque jour au téléphone, mais ce n'était pas pareil. »

Monique a quitté la politique en 2009 et partage depuis lors son temps entre le Québec et le Mexique, sans être retraitée pour autant. Avant nos séances de travail matinales, elle avait déjà lu les journaux québécois et internationaux – y compris les journaux du Mexique, dont elle suit la politique avec intérêt –, fait quelques appels ou participé à une vidéo-conférence par Internet. Elle avait préparé le copieux petit-déjeuner et m'accueillait à la cuisine. Mais celle qui a travaillé plus de soixante-dix heures par semaine pendant de nombreuses années considère aujourd'hui qu'elle ne travaille pas beaucoup, bien que les mandats qu'elle cumule exigent une quarantaine d'heures par semaine.

« Monique est toujours très sollicitée. Elle s'enthousiasme pour beaucoup de choses et cela lui joue parfois des tours, affirme son mari, parce qu'elle est dotée d'une fabuleuse énergie qui la porte à dire oui à tout. Lorsqu'on lui fait une proposition, je l'aide à déterminer si elle a vraiment envie de s'investir dans ce projet et à évaluer ce que cela lui apportera. »

Lorsque je me suis trouvée seule avec Claude Forget pour un entretien plus formel, j'étais impatiente d'avoir sa version de sa rencontre avec Monique. J'étais en effet restée perplexe d'entendre Monique qualifier d'« insignifiante » la jeune fille qu'elle avait été. « Tu pourras lui demander ce qu'il a trouvé d'intéressant chez moi. Je n'en ai aucune idée », m'avait-elle dit au cours d'un de nos entretiens à Montréal.

Claude Forget esquisse un sourire en m'entendant rapporter les paroles de Monique. « Elle était pétillante et avait déjà beaucoup de tempérament à dix-huit ans, rectifie-t-il. Il y avait un feu, chez elle, qui est toujours présent d'ailleurs. C'était la même femme qu'aujourd'hui, mais bien entendu sans la maturité et la confiance que les années lui ont apportées. »

Il poursuit en me relatant un événement qui remonte à plus de soixante ans et qui, selon lui, en dit plus long sur Monique que toute autre anecdote qu'il pourrait me raconter à son sujet. « Quand Monique avait douze ou treize ans, l'entreprise pour laquelle travaillait son père traversait une période difficile. M. Jérôme avait alors fait comprendre à sa femme et à ses filles qu'il risquait de perdre son emploi. Cela avait créé chez lui une certaine anxiété qui se transmettait à toute la famille. Normalement, une adolescente se serait sentie impuissante dans cette situation. Or, sans en parler à qui que ce soit, Monique est allée voir le patron de l'entreprise. Elle lui a demandé franchement s'il comptait mettre son père à la porte. L'homme, paraît-il, a trouvé sa démarche extraordinaire et l'a rassurée.

« Quand elle m'a raconté cette histoire, au début de nos fréquentations, j'ai été grandement impressionné par sa confiance en elle et par son sens des responsabilités. C'était absolument unique. J'avais connu d'autres filles à l'université, des étudiantes en médecine, des copines en droit également – il y avait six femmes sur cent trente-six étudiants dans notre promotion –, mais je n'avais remarqué ce type de détermination chez aucune. J'ai compris qu'elle serait une compagne exceptionnelle et la suite de notre vie m'a donné raison. »

Pourquoi Monique n'avait-elle jamais évoqué cet épisode au cours de nos entretiens ? Je lui ai posé la question à notre séance de travail suivante. « Je trouve tellement arrogant de ma part d'avoir voulu régler les problèmes de mon père ! Tu veux vraiment mentionner ça dans le livre ? Ma mère était tellement inquiète, il fallait que je fasse quelque chose. Heureusement, mon père a conservé son emploi. Je me souviens très bien que son patron m'avait dit : "Si ma fille s'intéressait à moi comme tu t'intéresses à ton père, je serais le plus heureux des hommes." »

Ce que Monique juge être de l'arrogance, Claude Forget l'a tout de suite perçu comme un trait de caractère admirable, qui serait le gage d'une vie de couple réussie. « Cela peut paraître cliché de dire qu'un homme recherche une compagne qui ressemblera à sa mère, qui est en somme son premier modèle de femme, mais dans mon cas c'est vrai. Ma mère, Isola Nadeau, est née en 1893. Cadette de la famille, elle avait décidé qu'elle prendrait à sa charge son père veuf et ne se marierait pas tant qu'il vivrait. Elle travaillait comme secrétaire dans un bureau, à Montréal, ce qui lui a ensuite permis d'acheter un immeuble à revenus, puis de se lancer dans le commerce de détail avec une boutique de fleuriste. C'était une femme intelligente, chaleureuse, très indépendante pour l'époque. Ces qualités que j'appréciais beaucoup chez elle, je les ai retrouvées chez la jeune fille que j'ai épousée. Ma mère est décédée un an avant ma rencontre avec Monique, mais je suis certain qu'elles se seraient très bien entendues. »

Lorsque Claude Forget a fait la connaissance de Monique, il s'apprêtait à partir étudier à Londres. Il a vécu deux semestres dans une résidence pour étudiants, sans s'y plaire, puis a réalisé que ce serait plus facile qu'il ne l'avait cru de louer un petit appartement. « En fait, c'était avec elle que je voulais vivre cette aventure et j'étais très heureux qu'elle accepte de venir me rejoindre. L'expérience de passer plusieurs années à l'étranger nous a forgés, individuellement et comme couple. C'était formidable : nous vivions dans un charmant foyer, avec notre premier enfant, puis notre deuxième. Dès le départ, nous avons incarné la vision du couple que nous partagions, c'est-à-dire deux personnes ayant des affinités et des projets communs, mais qui sont par ailleurs autonomes. Cette philosophie nous a permis de vivre et de travailler dans des villes différentes pendant des années : moi à Québec pendant qu'elle était à Montréal, elle à Ottawa alors que j'étais revenu à Montréal. »

Je lui demande s'il était fréquent à l'époque qu'un mari soutienne sa femme dans ses aspirations professionnelles. « Je l'ignore, je n'ai connu aucun homme dont la femme faisait un doctorat... ou était ministre ! Il me semblait parfaitement normal de l'épauler. En tant que partenaires, nous avions les mêmes objectifs, au fond. Ses parents ne l'avaient pas stimulée à poursuivre ses études, mais j'étais tout disposé à le faire. Cela me plaisait énormément qu'elle ait cette volonté de se réaliser sur ce plan.

« Elle a fait son doctorat alors que nous avions deux jeunes enfants et que je passais une bonne partie de la semaine à Québec. C'était loin d'être facile. Je l'ai encouragée, mais le mérite lui revient entièrement. À propos de ses accomplissements, Monique insiste toujours sur la contribution des autres, y compris la mienne, qu'elle exagère beaucoup. Je pense qu'il faut voir dans cette modestie un vestige de son éducation. »

Il souligne que le soutien était mutuel. Claude Forget a été ministre des Affaires sociales dans le cabinet Bourassa de 1973 à 1976. Au moment de sa première campagne électorale, Monique avait quitté son travail pendant trois semaines pour l'accompagner partout. « Nous avons fait de la politique à dix-sept ans d'intervalle. Ce fut très excitant pour moi de la voir évoluer à sa façon dans ce milieu que j'avais connu.

« Même si je connaissais ses forces, elle m'a étonné à plusieurs occasions ! Je pense que Jean Charest, également, a été agréablement surpris de voir ce qu'elle réussissait à accomplir comme présidente du Conseil du trésor, puis à titre de ministre des Finances. Elle a rendu un fier service à son gouvernement, en matière de maîtrise des finances publiques. Les gens reconnaissaient son apport, de sorte qu'elle a été l'un des facteurs de la réélection d'un gouvernement libéral majoritaire en 2008, à un moment critique pour l'avenir économique du Québec. Pendant la crise financière mondiale, elle est intervenue auprès du gouvernement fédéral et de la Banque du Canada avec une vigueur incroyable. Elle a pris le leadership du milieu financier québécois et a indiqué la marche à suivre pour traverser les turbulences. C'était extraordinaire de la voir manœuvrer. »

Chez la femme politique, il a tout particulièrement admiré la droiture et la faculté de confronter les gens sans complaisance. « Cette qualité qu'elle possédait déjà toute jeune, comme l'illustre l'anecdote de l'initiative avec le patron de son père, tu l'as ou tu ne l'as pas. Fonctionnaires ou collègues ministres, tous comprenaient vite qu'elle ne se laisserait pas berner ni détourner de sa voie. »

Monique a parfois fait appel aux conseils de son mari. « Elle m'a téléphoné un jour pour me dire que des représentants syndicaux avaient investi son bureau de circonscription et qu'elle ne savait pas trop comment gérer la situation. Cela m'était arrivé plusieurs fois lorsque j'étais ministre. Je lui ai suggéré de les laisser faire. "Et surtout, ai-je ajouté, offre-leur du café à volonté." Comme il n'y avait pas de toilettes, on pouvait présumer que l'occupation ne durerait pas éternellement. C'est exactement ce qui s'est produit. »

Il considère le règlement de l'équité salariale comme la réalisation majeure de Monique. « Dans sa vie publique, c'est par ce dossier que s'est incarnée sa préoccupation de longue date pour l'amélioration de la situation des femmes. La loi était passée, mais rien ne s'était fait par la suite. Elle a réussi à négocier avec les syndicats à la fois les ententes collectives dans le secteur public et le règlement de l'équité salariale, en respectant son enveloppe financière, ce qui était essentiel pour la santé des finances de l'État. En toute transparence, par ses interventions dans les médias, elle est parvenue à faire comprendre aux contribuables que c'était pour obtenir ce résultat-là qu'elle tenait tête aux syndicats. »

Il est 18 heures. Monique vient voir si nous avons terminé et serions prêts pour l'apéritif. Elle paraît surprise que nous ayons parlé d'elle pendant plus de deux heures. Immergés dans le passé, Claude Forget et moi avons effectivement presque perdu la notion du temps et avons à peine remarqué qu'une pluie tropicale, aussi fugace que drue, s'était abattue à deux mètres de la *loggia* où nous sommes installés.

Nous suivons volontiers Monique vers la salle à manger pour faire honneur à l'excellent repas qu'elle a cuisiné.

Partie II

La haut fonctionnaire

De psychologue à haut fonctionnaire

Je sais que je vais faire soupirer les plus jeunes en disant que j'ai reçu plusieurs offres d'emploi après l'obtention de mon doctorat. Diplôme en poche, il était facile de trouver du travail dans les années 1970.

J'ai commencé à travailler à l'institut Allan Memorial, à Montréal, où se trouve le département de psychiatrie de l'hôpital Royal Victoria et du Centre universitaire de santé McGill. Étant formée en béhaviorisme, je suis devenue en quelque sorte la responsable de cette approche au sein du département. À l'époque, à l'instar de presque tous les départements de psychologie, le Allan Memorial avait principalement recours à l'approche analytique.

Après un an, j'ai opté pour la clinique pour enfants et adolescents. J'y ai rencontré divers problèmes de santé mentale, notamment de nombreux cas d'anorexie, une maladie que l'on connaissait peu. On entrevoyait à peine l'ampleur épidémique qu'elle connaîtrait au cours des décennies qui allaient suivre. J'étais à même de constater à quel point cette maladie affectait non seulement les jeunes filles qui en étaient atteintes, mais aussi leurs parents, qui ne comprenaient pas pourquoi leur enfant refusait de manger. Dévastés, ils voyaient leur fille se décharner progressivement sous leurs yeux. Une enfant qui refuse de manger, c'est comme si elle rejetait l'amour de ses parents. Il fallait parfois hospitaliser ces adolescentes qui ne pesaient plus que 30 kilos. J'intervenais auprès d'elles pour les amener à recommencer à s'alimenter et à changer leur perception d'elles-mêmes.

Au département de psychiatrie, j'ai vécu un événement qui m'a beaucoup marquée. Je traitais une patiente souffrant de dépression sévère, en collaboration avec son psychiatre. Même après toutes ces années, je me rappelle clairement cette jeune femme qui avait apparemment tout pour être heureuse : un mari extraordinaire, très attentif, une petite fille de trois ans. Mais, en proie à la dépression, elle était profondément malheureuse.

Après plusieurs mois d'hospitalisation, on lui permit de passer une fin de semaine chez elle. Je jugeais prématuré de la laisser sortir, même pour deux jours. Or, tous les autres membres de l'équipe soignante voyaient d'un bon œil qu'elle réintègre progressivement son domicile familial. On me trouvait trop protectrice. J'étais farouchement opposée à ce congé, mais j'ai plié.

Le lundi matin, nous apprenions qu'elle s'était enlevé la vie. J'étais consternée. J'avais le sentiment d'avoir échoué à la protéger contre elle-même. Je me reprochais de ne pas m'être montrée plus entêtée pour faire reconnaître le bien-fondé de mon point de vue lors de l'évaluation en équipe. Mes collègues ont eu beau me répéter que j'avais fait ce qu'il fallait en les mettant en garde, ce drame m'a hantée pendant longtemps. Aurait-elle pu guérir de cette profonde dépression ? L'équipe soignante avait tout tenté. À moins que l'on eût trouvé une médication miraculeuse, tout porte à croire que cette femme n'aurait pas pu mener une vie normale.

Sans doute que cette confrontation avec la mort survenue au tout début de ma carrière a renforcé mon ardeur à me battre pour mes convictions. J'avais réalisé que je pouvais avoir confiance en mon jugement, même si j'étais la seule à penser d'une certaine façon. Le conseil du Pr Hebb prenait tout son sens : « *Monique, stick to your guns.* » Dans ce département de psychiatrie, j'étais sur le terrain et non plus dans l'enceinte protégée d'une salle de cours. Brutalement, j'étais passée de la théorie à la pratique et prenais la mesure des conséquences que pouvaient avoir mes actions.

Cette expérience a aussi accru ma sensibilité à l'égard de la problématique du suicide. Dès que quelqu'un tient des propos qui pourraient révéler des idées suicidaires, je suis totalement à l'écoute. Je ne prends jamais cela à la légère, car j'estime que ces personnes ont l'intention de passer à l'acte. Même si la plupart n'iront pas jusqu'au bout, toutes cherchent désespérément à mettre un terme à leurs souffrances psychologiques.

Il y a quelques années, j'ai été de nouveau touchée par le suicide, cette fois celui d'un ami.

Pendant les sept années où j'ai été ministre, j'étais accompagnée en tout temps par un garde du corps, également chauffeur de la voiture de fonction qui m'était allouée. Les stars s'y accoutument probablement, mais disons que pour le commun des mortels, il est vraiment inusité d'être ainsi escorté. J'avoue qu'un après-midi ma nature rebelle l'a emporté : je suis allée au cinéma incognito. Dans l'obscurité de la salle, je savourais ces minutes en solitaire volées à mon emploi du temps très chargé. Le soir même, je recevais un coup de fil des gens du ministère de la Sécurité publique me rappelant le protocole. Voilà l'une des raisons pour lesquelles j'ai tant apprécié ma liberté lorsque j'ai quitté la politique.

Gilles Goulet et Jimmy Frank, en alternance, ont été mes gardes du corps. Les hommes qui pratiquent ce métier sont des êtres très généreux. Ultimement, ils doivent être prêts à donner leur vie pour sauver celle de la personne qu'ils protègent.

Chaque semaine, nous faisions le trajet Montréal-Québec. Ils m'accompagnaient dans mes déplacements officiels et autres. Ils connaissaient tout de ma vie, ou presque. Évidemment, cette intimité finit par créer des liens très forts. J'éprouvais beaucoup de sympathie et d'affection pour eux.

Tous deux étaient de beaux hommes. Lorsque j'allais au restaurant, Gilles, ou Jimmy, s'installait à une autre table, comme

le prévoit le protocole. Amusée, je constatais qu'immanqua-
blement mon garde du corps se faisait servir avant moi ! Les
serveuses tombaient instantanément sous leur charme, quand
elles n'en devenaient pas carrément amoureuses.

Ma démission en cours de mandat a été un coup dur pour
Gilles. Il a fondu en larmes lorsque je lui ai annoncé mon
départ. Manifestement, il avait déjà une fragilité sur le plan
psychologique. Il a été affecté aux remplacements, puisque
tous les ministres avaient déjà leur garde du corps.

Puis j'ai appris qu'il avait été hospitalisé. Un de ses amis
l'avait retrouvé chez lui très mal en point, après ce qui semblait avoir été une tentative de suicide. Lorsqu'il a obtenu son
congé de l'hôpital, je l'ai invité à venir passer une journée
chez moi, à la campagne. Il m'a alors confié que la prise d'un
nouveau médicament l'avait déstabilisé et conduit à com-
mettre ce geste désespéré. Je pense que lui-même se satisfai-
sait de cette explication. Pour ma part, je l'ai trouvée plau-
sible, parce que je n'avais jamais perçu Gilles comme un
grand dépressif. Il était presque toujours de belle humeur
en ma compagnie.

Moins d'un an après ce séjour à l'hôpital, le 11 août 2011,
Gilles s'est suicidé. Il avait quarante-cinq ans.

Au gouvernement, tous savaient que nous étions très
proches. Dès qu'il a été informé de la triste nouvelle, Jean
Charest a veillé à ce que je sois avisée sans délai.

Le décès de Gilles m'a bouleversée. Je me suis reproché
de ne pas avoir décelé sa détresse. Il laissait dans le deuil
son petit Nicolas, dont il me parlait souvent avec tendresse
et fierté.

Tous ses collègues gardes du corps étaient présents aux
funérailles. On m'a invitée à prendre la parole, et avec beaucoup d'émotion j'ai exprimé ce qu'il avait représenté pour
moi, en mettant en relief ses grandes qualités de cœur.
Devant ces gens réunis pour lui rendre un dernier hommage,
je n'étais plus l'ex-ministre Jérôme-Forget, mais une amie qui
avait côtoyé Gilles et l'avait sincèrement apprécié.

*

C'est au Royal Victoria que j'ai rencontré Carmen Robinson, également psychologue, qui allait devenir mon amie la plus chère. Notre merveilleuse relation dure depuis quarante ans.

Carmen est une femme brillante, curieuse de tout, cultivée. Elle lit énormément et voit tout le théâtre présenté à Montréal, à New York, à Londres. Sa langue maternelle est l'anglais, et je pense avoir contribué à lui faire apprécier la culture francophone. Je lui ai conseillé de lire *La Presse* si elle voulait être bien informée sur ce qui se passe au Québec. Elle est souvent la première à me téléphoner, tôt le matin, pour me faire part d'une nouvelle percutante.

Mon amie a suivi de très près ma carrière politique. Elle lisait tous les articles qui parlaient de moi et j'étais certaine de recevoir un appel d'elle, furieuse, lorsque j'étais critiquée. Elle scrutait chaque photo, et son verdict tombait, presque toujours le même : « *Not a good picture of you.* »

Carmen, soutien indéfectible, a toujours su trouver les bonnes paroles pour me soutenir dans la traversée des périodes difficiles. Elle connaît tout de moi, et réciproquement. Nous avons beaucoup d'affinités et d'innombrables sujets nous intéressent, ce qui fait qu'il n'y a jamais de temps morts lorsque nous sommes ensemble.

Comme moi, elle est boulimique de cinéma. Lorsque je suis à Montréal, nous allons voir au moins un film par semaine. Et parfois deux d'affilée ! Nous avons eu le bonheur de faire plusieurs voyages ensemble. Lorsque j'étais ministre et que je disposais de peu de temps libre, un long week-end nous suffisait pour une escapade à Paris. Nous faisions un saut au musée du Louvre, notre halte incontournable, où nous étions plus excitées que des gamines dans une confiserie.

Carmen m'a dit un jour : « Tu peux faire ce que tu veux dans ta vie, sauf une chose : mourir avant moi. »

*

J'ai quitté l'hôpital Royal Victoria pour devenir directrice des services professionnels au CLSC Métro. Ce CLSC avant-gardiste, installé au cœur de la station de métro Guy, au centre-ville de Montréal, se voulait le laboratoire d'initiatives novatrices en santé. Par exemple, il fut le premier établissement de santé francophone à recourir aux infirmières cliniciennes en première ligne. Comme les *nurse practitioners* que j'avais vues à l'œuvre à la clinique londonienne où j'avais donné naissance à mes deux enfants, elles avaient d'importantes responsabilités. C'étaient elles qui recevaient les patients et décidaient s'ils devaient voir un médecin ou non.

Au départ, les médecins ne voyaient pas d'un bon œil qu'une psychologue assume la direction des services professionnels. Ce poste avait toujours été occupé par l'un des leurs. Ils avaient tendance à me regarder de haut et à mettre mes compétences en doute. Mais j'ai rapidement gagné leur confiance. Nous avons travaillé de concert pour développer une culture différente, axée sur la prise en charge complète du patient, dans sa dimension tant sociale que psychologique et physique.

J'étais parfois appelée à prononcer des conférences sur l'organisation des soins. Monique Bégin, la ministre fédérale de la Santé et du Bien-être, s'est trouvée un jour dans l'assistance. Je n'en étais qu'à mes premières armes comme conférencière, mais elle m'avait trouvée bonne, semble-t-il, puisqu'elle est venue me parler après ma prestation et m'a proposé de travailler pour son ministère, à Ottawa.

C'est ainsi que je suis devenue sous-ministre adjointe, de 1982 à 1985. Mon fils et ma fille étaient dans la vingtaine et étudiaient à l'Université McGill. Je passais la semaine à Ottawa, où je partageais un appartement avec mon amie Michèle Bazin, qui était la directrice des communications du cabinet de Joe Clark, le premier ministre du Canada de l'époque. Je retrouvais Claude et mes enfants les week-ends.

Le soir, Michèle et moi enfilions nos pyjamas et discutions pendant des heures. J'avais quitté la maison familiale très jeune pour me marier, de sorte que je n'avais pour ainsi dire pas eu de vie de jeune fille. À Ottawa, j'ai donc vécu à retardement la vie de colocs, comme disent les jeunes. J'ai adoré cette période.

C'est grâce à Monique Bégin que j'ai pu faire mes débuts dans la haute fonction publique, ce qui allait me mener à une carrière politique. Je lui suis très reconnaissante de m'avoir donné cette occasion professionnelle. Santé et Bien-être était l'un des plus gros ministères. J'y dirigeais une équipe de trois cents employés composée d'économistes, de sociologues et de statisticiens responsables d'établir les grandes orientations du ministère, de conseiller la ministre et d'éclairer le gouvernement dans ses prises de décisions.

Nous étions seulement onze femmes sur les quatre cent quatre-vingts sous-ministres et sous-ministres adjoints. Petit effectif féminin, qui était cependant bien déterminé à se serrer les coudes pour favoriser l'avancement de ses consœurs. Tous les deux mois, nous nous rencontrions et faisions l'inventaire des jeunes femmes à haut potentiel dans nos ministères respectifs, à qui nous pourrions faire grimper deux échelons d'un seul coup. Nous prenions soin de nous échanger ces employées d'un ministère à l'autre, sachant que leurs collègues n'auraient pas apprécié qu'elles obtiennent ces doubles promotions.

À titre de sous-ministre adjointe, j'ai participé aux travaux de l'Organisation de coopération et de développement économiques (OCDE). Je trouvais que l'OCDE se préoccupait beaucoup de la question du chômage, par exemple, mais faisait peu de recherches et d'analyses en santé et en éducation, alors que je considérais que c'était dans ces domaines que se posaient les grands défis pour nos sociétés. J'ai donc fondé un Comité des politiques sociales, dont j'ai été la première présidente. Je tenais à avoir autour de la table non pas des porte-parole mandatés par chaque gouvernement, mais les experts qui avaient développé des approches novatrices dans leurs pays respectifs en matière de politiques sociales et qui pourraient faire bénéficier de leur expérience les autres pays membres. J'ai moi-même trouvé et recruté ces personnes pour plusieurs pays. Ce comité existe toujours aujourd'hui. C'est une réalisation dont je suis très fière.

Quatre ans plus tard, un chasseur de têtes m'a proposé le poste de vice-rectrice, Finances, recherches institutionnelles et ressources humaines à l'Université Concordia, que j'ai accepté. Mes collègues, à Ottawa, concevaient mal que je puisse faire ce choix. Ils s'étonnaient que je tourne le dos à la sécurité d'emploi, d'autant plus que j'avais d'excellentes chances de devenir sous-ministre. Or, je n'ai jamais laissé la sécurité d'emploi devenir une prison pour moi. Dès lors que j'estimais avoir donné ce que j'avais à donner, appris ce que j'avais à apprendre, j'allais m'investir ailleurs. En fait, la seule constante, dans mon parcours professionnel, est cette liberté que je me suis toujours accordée.

Après une année à l'Université Concordia, j'ai été nommée présidente-directrice générale de la Commission de la santé et de la sécurité du travail (CSST). J'étais la première femme à occuper cette fonction. La CSST avait besoin d'un sérieux coup de barre : elle venait de terminer l'année avec un déficit de 529 millions de dollars, les travailleurs accidentés devaient attendre beaucoup trop longtemps avant de recevoir leurs indemnités et il y avait également un énorme travail de sensibilisation à effectuer pour faire comprendre aux employeurs l'importance de la prévention.

C'était en 1985. J'avais quarante-cinq ans. Il s'agissait d'un nouveau contexte de travail pour moi, qui m'obligerait à mettre les bouchées doubles afin de maîtriser mes dossiers. Mais je me sentais mûre pour occuper ce poste de direction qui me permettrait d'assainir la situation financière de la société parapublique et d'améliorer de façon très concrète les conditions de travail des Québécois. Je suis très attirée par les mandats qui me donnent la possibilité d'implanter des mesures qui comptent vraiment pour les gens, même quand le contexte de leur mise en œuvre s'avère difficile.

À la CSST, j'allais également apprendre à traiter avec les syndicats. J'ignorais alors que je serais présidente du Conseil du trésor dix-huit ans plus tard et que cette expérience me serait fort utile lorsque j'aurais la responsabilité de négocier les ententes collectives des employés de l'État.

Je me suis lancée dans cette aventure avec beaucoup d'enthousiasme, loin de me douter que je m'apprêtais à vivre la pire injustice de ma carrière.

Un parachute dans le dos

« Si vous n'étiez pas une femme, je vous crisserais en bas de votre chaise ! » m'avait lancé Louis Laberge, furieux.

Nous étions attablés au Club universitaire, en compagnie de Ghislain Dufour. Je venais d'entrer en fonction comme présidente-directrice générale de la CSST et ce dernier avait eu la gentillesse d'organiser un dîner informel à trois, afin que nous puissions faire plus ample connaissance avant de commencer à travailler ensemble. Le conseil d'administration de la CSST est paritaire, c'est-à-dire qu'il est formé d'un nombre égal de représentants des employeurs et des travailleurs. Ghislain Dufour était porte-parole de la partie patronale et Louis Laberge, alors président de la Fédération des travailleurs et travailleuses du Québec (FTQ), était porte-parole de la partie syndicale.

Qu'est-ce qui m'avait valu ce commentaire de mauvais goût ? Nous discutions de choses et d'autres, puis la conversation s'était portée sur l'Accord de libre-échange entre le Canada et les États-Unis, qui n'était pas encore signé et suscitait de vifs débats partout au pays. J'avais affirmé que cette entente serait bénéfique pour le Québec, alors que le milieu syndical s'y opposait farouchement.

Manifestement, Louis Laberge n'appréciait pas d'être contrarié dans ses opinions. Et probablement encore moins par une femme. Avait-il bu un verre de trop ? Ses propos déplacés m'avaient estomaquée, tout comme ils avaient visiblement incommodé Ghislain Dufour, un homme droit et courtois que cette grossièreté ne pouvait que choquer. Nous n'avons jamais reparlé ensemble de cet incident. Et ce soir-là, j'ai pris le parti de faire comme si je n'avais rien entendu et le dîner s'est poursuivi normalement.

Louis Laberge, j'allais le comprendre plus tard, n'était pas enchanté de ma nomination à la tête de la CSST. Pas plus que ne l'était le ministre du Travail d'alors, Pierre Paradis, qui aurait préféré choisir lui-même le nouveau PDG, alors que j'avais été nommée directement par le premier ministre Robert Bourassa.

Je me retrouvais en terrain miné, ce que j'allais mettre un moment à réaliser.

J'avais consacré beaucoup de temps à passer en revue le fonctionnement de l'organisme et les dossiers, de sorte que je savais à quoi il fallait s'atteler en priorité. En santé et sécurité du travail, le nerf de la guerre, c'est la prévention. Cela paraît une évidence, aujourd'hui, mais à l'époque les dirigeants et gestionnaires ne saisissaient pas tous les avantages qu'il y avait, sur les plans humain et financier, à rendre leur environnement de travail sécuritaire. L'exemple en la matière est venu du Japon, avec le modèle de gestion et de production développé par Toyota.

Mon prédécesseur avait préconisé la création de comités de prévention dans chaque entreprise. Je convenais de l'importance d'instaurer ce type de structures, qui allait permettre aux employés de se réunir et de discuter des changements à apporter dans le fonctionnement des opérations. Cette mesure m'apparaissait cependant insuffisante.

Outre ces comités de prévention, j'ai donc privilégié l'intervention auprès des chefs d'entreprise, que je suis allée rencontrer personnellement. J'étais persuadée – et je le demeure aujourd'hui – que ces décisions doivent venir d'en haut pour se répercuter au bas de la hiérarchie. Si le président considère que ce dossier est important, il placera la santé et la sécurité au travail en tête des objectifs de l'entreprise.

L'exemple de Canadair est éloquent. À la fin des années 1980, l'entreprise avait un bilan désastreux en matière de santé et de sécurité. Conséquemment, elle payait des cotisations astronomiques à la CSST. Lorsque j'avais visité l'usine, un petit morceau de métal était tombé sur mon casque protecteur. J'avais également remarqué qu'il régnait dans ce milieu de travail un machisme éhonté. Si un travailleur se blessait, on le renvoyait à l'usine où on l'affectait à des tâches encore plus difficiles, question de tester son endurance. On aurait eu de la peine à imaginer un environnement plus hostile aux employés. Dans cette entreprise comme dans toutes celles qui fonctionnaient de la sorte, il fallait impérativement que les choses changent.

J'ai obtenu un rendez-vous avec le président, pour constater une fois sur place qu'il avait délégué un vice-président. Mais je n'allais pas lâcher prise aussi facilement. J'ai appelé le président dès le lendemain pour lui dire que j'étais navrée de n'avoir pu le voir et pour lui signifier que je tenais beaucoup à cette rencontre. «Je sais que votre emploi du temps est très chargé. Discuter avec vous à l'heure du lunch en mangeant un sandwich me conviendrait parfaitement», lui ai-je proposé au téléphone.

J'ai réussi à le rencontrer, et surtout à le convaincre qu'il était dans son intérêt de diminuer le nombre et la gravité des accidents. Ce faisant, il transmettrait à ses employés un message de la plus haute importance : que leur bien-être avait une valeur à ses yeux. J'ai aussi invoqué l'argument de la rentabilité, puisque les sommes qu'il versait à la CSST diminuaient d'autant ses bénéfices. « C'est votre argent. Moins je reçois d'argent de vous, plus je suis heureuse », lui ai-je déclaré avec mon plus beau sourire.

Le dossier de cette entreprise s'est grandement amélioré par la suite. Devenu un fervent promoteur de la santé et de la sécurité, le président m'a téléphoné à quelques reprises pour m'inviter à voir les changements qui avaient été effectués dans son usine. J'étais très fière que Canadair puisse devenir un modèle pour les autres entreprises.

*

Pendant mon mandat à la CSST, un événement troublant est survenu dans mon bureau au moment où je m'y attendais le moins. Je le raconte ici publiquement pour la première fois.

J'étais la PDG d'une importante société d'État, de sorte que l'on ne peut pas dire que je me trouvais dans une position de vulnérabilité.

En entrant dans mon bureau, mon adjointe, Liette Lecavalier, s'est immédiatement aperçue que quelque chose d'anormal venait de se passer. « Tu es blanche comme un drap! Qu'est-ce que tu as? » m'a-t-elle demandé.

Un illustre personnage, décédé aujourd'hui et dont je tairai le nom par respect pour sa famille, venait tout juste de quitter mon bureau. Il avait demandé à s'entretenir avec moi en privé, ce qui était normal compte tenu des fonctions qu'il occupait. À la fin de notre entretien, alors que je lui tendais la main pour le remercier de sa visite, il a contourné la table qui nous séparait et s'est jeté sur moi. Ses mains se pressaient sur mes seins et sa bouche, dégoûtante, cherchait la mienne. J'ai dû me battre avec lui. C'était un homme de poids et de taille nettement supérieurs aux miens et j'ai eu beaucoup de mal à le repousser.

Quelques minutes après, abasourdie, je relatais cet incident à Liette à voix basse comme si c'était moi qui avais mal agi. Elle m'a implorée: « Tu ne peux pas te taire, il faut que tout le monde sache ce qu'il t'a fait. » Sauf que c'était sa parole contre la mienne, et il le savait bien.

Pourquoi avais-je rapporté les faits en murmurant? Pourquoi n'avais-je pas crié, dans mon bureau, lorsqu'il m'avait assaillie? Je ressentais de la honte, ce sentiment que j'avais maintes fois entendu mes patientes exprimer dans le secret de mon cabinet de psychologue. De nombreuses années après l'agression, elles en conservaient un souvenir très vif.

Quelques instants avaient suffi à cet homme pour me ravaler au rang d'objet à utiliser selon son bon vouloir. Je ne l'ai pas dénoncé. J'ai appris qu'il avait fait la même chose à d'autres femmes, dans une voiture, alors qu'il les ramenait chez elles après une réunion. Comme tous les hommes qui agissaient de la sorte dans ces années-là, il pouvait dormir tranquille, sachant que les femmes à qui il s'en prenait garderaient le silence.

Grâce à des groupes de femmes qui ont levé le voile sur ces comportements criminels, les femmes sont aujourd'hui mieux protégées sur les lieux de travail. Toute forme d'intimidation, y compris les gestes à caractère sexuel, est interdite. Cela reste cependant difficile pour les femmes de dénoncer leur agresseur. Au moment où j'écris ces lignes, la campagne #AgressionNonDénoncée nous révèle l'ampleur du problème.

*

Pendant les quatre années que j'ai passées à la présidence de la CSST, je me suis investie entièrement dans mon travail. J'éprouvais énormément de satisfaction en constatant les résultats que nous atteignions : le nombre et la gravité des accidents diminuaient partout au Québec, de même que les délais d'attente que les accidentés devaient subir avant d'être indemnisés. Le déficit avait décru au point de devenir un surplus de 300 millions.

J'ai aussi consacré beaucoup d'efforts à changer l'image de la société d'État et sa culture organisationnelle. Les inspecteurs, devenus des ambassadeurs de la santé et de la sécurité, n'étaient plus perçus par les employeurs comme des vilains qui leur tapaient sur les doigts, mais comme des spécialistes qui les aidaient à améliorer leur environnement de travail.

Puis, un jour, je me suis opposée à une proposition qu'approuvaient tant la partie patronale que la partie syndicale. Ma témérité allait s'avérer fatale.

Pierre Shedleur, le vice-président aux finances, voulait instaurer un nouveau mode de cotisation basé sur le dossier d'expérience. Ainsi, une entreprise qui enregistrait moins d'accidents de travail aurait droit à un taux plus avantageux pour le calcul de ses cotisations. Il s'agissait d'une excellente initiative. Afin de faire accepter ce changement par la partie patronale, le vice-président suggérait de modifier à la baisse le barème des taux de cotisation pour toutes les entreprises.

Le conseil d'administration paritaire qui caractérisait la CSST a souvent donné lieu à des tentatives de marchandage. Je trouvais que cette façon de fonctionner, par ailleurs bien humaine, allait parfois à l'encontre des intérêts de la société d'État. Je craignais que cette baisse des cotisations entraîne une baisse de revenus. Redoutant un retour au déficit, je recommandais plutôt de mettre en œuvre le nouveau mode de cotisation basé sur l'expérience pendant un an avec les taux existants. Si la CSST engrangeait des surplus, il serait possible de les retourner aux employeurs à la fin de l'année sous forme de ristournes, comme cela se faisait en Californie, par exemple.

J'étais la seule à m'opposer à la nouvelle mesure. Tant les syndicats que les patrons s'étaient entendus pour aller dans cette direction. Or, j'avais la responsabilité d'administrer au mieux ces fonds publics et, dans mon esprit, il s'agissait de défendre un principe de saine gestion : on ne dépense pas l'argent qu'on n'a pas.

C'est à ce moment-là que Pierre Shedleur m'a servi cette phrase à quelques reprises, cherchant probablement à me prévenir des turbulences qui s'ensuivraient : « Madame Jérôme-Forget, il y a des têtes qui vont rouler. » Il devait être au courant de discussions en coulisse à mon sujet. Il était un proche de l'homme d'affaires Franco Fava, le propriétaire d'une entreprise d'excavation qui avait beaucoup de poids au sein du conseil d'administration de la CSST. Peut-être étais-je trop naïve, ou si prise par mon travail que je n'ai pas prêté attention à ses paroles. En tout cas, je n'avais pas l'impression que sa mise en garde me concernait.

La proposition de Pierre Shedleur a été acceptée. J'ai voté contre, ce qui ne changeait rien au résultat, car j'étais minoritaire. Je l'ai fait par conviction. Aurais-je dû me rallier ? La suite des choses m'a donné raison, car la CSST a enregistré un déficit de 700 millions l'année suivante. Mais sur le plan personnel, j'allais en payer le prix.

J'avais tenu tête à Franco Fava, de même qu'à Louis Laberge, ce qui ne se faisait pas sans conséquences. Il faut se replacer dans le contexte de l'époque. Louis Laberge était alors un héros national. Il avait été emprisonné en 1972, avec Marcel Pepin, de la Confédération des syndicats nationaux (CSN), et Yvon Charbonneau, de la Centrale de l'enseignement du Québec (CEQ), pour avoir incité les travailleurs des secteurs public et parapublic à défier la loi spéciale 19 du gouvernement Bourassa, qui les obligeait à retourner au travail après une grève générale. Ces trois hommes jouissaient d'un énorme capital de sympathie, auprès tant du public que de la classe politique.

Je ne connaîtrai jamais les détails de l'histoire, mais je sais que Fava et Laberge sont allés se plaindre de moi au bureau du ministre du Travail, Yves Séguin, qui avait entre-temps remplacé Pierre Paradis. Ils avaient probablement aussi fait part de leurs doléances au premier ministre Bourassa.

J'ai été congédiée. Pour me l'annoncer, le cabinet du premier ministre a délégué un « deux de pique » qui n'avait jamais rien réalisé dans sa vie. Après tout ce que j'avais accompli à la société d'État, il est venu me dire, sur un ton hautain, que je ne faisais pas l'affaire. En clair : j'étais devenue indésirable. J'ai terminé mon mandat abruptement, un an avant son terme. On m'a offert un autre poste, qui était sans intérêt pour moi.

Vingt-cinq ans plus tard, j'évoque ces événements avec le détachement de celle qui n'a plus rien à prouver. Mais je me souviens très bien du sentiment de profonde injustice qui m'a habitée pendant longtemps. J'avais été discréditée pour avoir émis une opinion divergente, qui était pourtant fondée sur le meilleur intérêt de la société pour laquelle je travaillais.

Le personnel de bureau de la CSST, avec qui j'entretenais des liens très cordiaux, avait prévu une petite célébration pour le jour de mon départ. Je ne m'y suis pas présentée. J'ai ravalé ma peine et quitté les lieux sans dire au revoir à personne. C'est peut-être mon côté cavalier qui prend le dessus dans ces moments-là, mais j'étais trop affectée pour assister à un semblant de fête.

À l'époque, Claude, mon mari, m'avait recommandé de m'exprimer publiquement sur cette injustice, puisque je travaillais dans une société d'État. Il m'aurait effectivement été facile de convoquer un journaliste et de lui raconter les événements. Mais j'ai choisi de ne pas faire de vagues. Ce qui m'importait par-dessus tout, c'était de tirer des leçons de ce qui m'était arrivé et de poursuivre mon parcours professionnel.

Pour la première fois de ma vie, je me suis trouvée sans travail. Après un mois de repos, j'ai amorcé ma recherche d'emploi. J'ai commencé à m'inquiéter au bout de quelques mois. Puis j'ai appris à travers les branches qu'un haut placé au gouvernement donnait de mauvaises références à mon sujet. Selon lui, je n'étais pas une femme forte ayant des convictions, j'étais plutôt une personne « difficile ». Je lui ai téléphoné et l'ai avisé que je n'hésiterais pas à le poursuivre en justice s'il persistait à ternir ma réputation. Il était manifestement dans ses petits souliers. Il n'a rien admis, mais mon message avait été reçu.

De fait, mes horizons professionnels se sont éclaircis après ce coup de fil. J'ai réussi à obtenir le poste que je convoitais : je suis devenue présidente de l'Institut de recherche en politiques publiques (IRPP). Lors de mon entrevue d'embauche, le comité s'est montré impressionné par le virage draconien que j'avais effectué à la CSST en si peu de temps. Les chiffres publiés dans les rapports annuels parlaient d'eux-mêmes. Ce bilan très positif allait également être apprécié par Jean Charest, en tant que preuve de mes compétences, lorsqu'il m'inviterait à faire partie de son équipe.

*

Sur le coup, je n'ai pas montré du doigt la misogynie. Mais en y réfléchissant, je réalise que le fait d'être une femme occupant un poste de direction dans un milieu d'hommes a certainement joué un rôle dans le traitement qui m'a été réservé. Je m'étais opposée à une décision qui, à mon avis, compromettait la santé financière de l'institution que je présidais. D'un homme dans la même situation, on aurait pensé : il tient à ses idées, il a de la vision, du tempérament.

Encore aujourd'hui, nous percevons différemment les comportements des hommes et des femmes. Même notre langage le traduit : on dit par exemple d'une femme qu'elle est autoritaire et d'un homme, qu'il a de l'autorité. C'est ce qu'on appelle le double standard.

Afin d'illustrer ce phénomène, je cite souvent une étude récente menée à l'Université Harvard. Des chercheurs ont divisé une classe en deux groupes d'étudiants, au hasard. Au premier groupe, on a soumis le profil d'une entrepreneure, Heidi Roizen. Le second groupe a reçu exactement le même profil, mais le nom de l'entrepreneur avait été changé pour Howard Roizen. Les étudiants devaient ensuite répondre à une série de questions. Il est ressorti de leur évaluation que le premier groupe avait trouvé Heidi compétente, tout comme le second groupe concernant Howard. Mais une majorité d'étudiants du premier groupe ont considéré qu'Heidi était une personne peu aimable avec laquelle ils n'auraient pas envie de travailler, tandis que ceux du second groupe ont jugé Howard comme quelqu'un à qui ils auraient souhaité s'associer.

Ce double standard représente un problème de taille pour les femmes qui souhaitent occuper des postes de pouvoir. Elles doivent mettre en avant certaines caractéristiques inhérentes à la fonction, lesquelles seront vues comme des qualités chez un homme mais des défauts chez elles. Personnellement, je n'ai pas laissé ce double standard entraver mon chemin. En fait, je m'en suis peu souciée. Mais je sais qu'il s'agit d'un frein pour un grand nombre de femmes.

Il est important pour moi de ne pas présenter uniquement les moments édifiants de mon parcours. Je veux que les jeunes femmes sachent qu'une carrière, aussi brillante puisse-t-elle sembler de l'extérieur, n'est jamais constituée que d'une enfilade de succès. On se construit autant – et parfois plus – par notre façon de réagir aux déconvenues qu'en enchaînant les victoires.

Une poignée d'hommes m'ont jetée au tapis. J'aurais pu y rester. Une autre aurait peut-être mis un point final à ses ambitions, après avoir subi ce rejet. J'ai choisi de poursuivre ma trajectoire jusqu'à occuper des fonctions aux plus hauts niveaux de l'appareil d'État. C'est mon caractère fonceur et ma capacité à encaisser les coups qui ont pris le dessus.

Même après de cuisants revers, nous finissons toujours par retomber sur nos pieds. Finalement, sans le savoir, chacun d'entre nous porte un parachute dans le dos qui se déploiera au bon moment pour amortir sa chute.

Je les ai presque tous croisés de nouveau. Franco Fava, notamment, était un important collecteur de fonds pour le Parti libéral, et lorsque j'ai fait le saut en politique, je l'ai revu plusieurs fois. J'allais le saluer poliment, mais je n'avais pas pour autant oublié ce qu'il m'avait fait.

La « femme de service »

Pendant des années, j'ai été la seule femme autour de la table de plusieurs conseils d'administration où je siégeais. Je n'étais pas dupe. Je savais bien que j'avais été nommée parce qu'on voulait au moins une femme. Autrement, on n'aurait jamais pensé à moi, en dépit du fait que j'étais titulaire d'un doctorat et que j'avais occupé des postes de direction importants. Or, je ne m'offusquais aucunement d'être ce qu'on appelle la «femme de service». Parce qu'il n'y a pas de honte à cela. Je me disais : peu importe les raisons pour lesquelles je suis nommée, ils en auront pour leur argent !

Malgré ce handicap apparent d'avoir été choisie parce que j'étais une femme, je m'entendais remarquablement bien avec mes collègues masculins. Ils reconnaissaient mes compétences et me traitaient comme l'une des leurs. M'estimant chargée d'une mission, chaque fois qu'un siège au conseil d'administration se libérait, je suggérais le nom d'une femme. Mes collègues avaient cependant d'autres vues. Désireux malgré tout de répondre à mon souhait légitime, l'un d'eux, croyant me flatter, me répondit un jour : « Tu sais, Monique, puisqu'il est impossible de te cloner, on ne pourra pas trouver une autre femme comme toi. » Façon détournée de dire qu'ils avaient fait un premier effort et que cela s'arrêterait là.

Voilà pourquoi je dis aux femmes : saisissez les opportunités lorsqu'elles se présentent. Prenez la place, votre place. À mon avis, les femmes ont trop souvent des considérations puristes qui les freinent. Par exemple, bon nombre de femmes se montrent réticentes à toute forme de discrimination positive. « On pensera que je suis nommée pour respecter les quotas, et non parce que je suis la plus méritante parmi tous les candidats », disent-elles. Lorsqu'ils sont nommés à des conseils d'administration auxquels ne siège aucune femme ou qu'ils se retrouvent à la haute direction exclusivement masculine d'une entreprise, rares sont les hommes qui doutent de la pertinence de leur candidature. Considèrent-ils que leur nomination a moins de valeur parce qu'ils ont été recrutés dans un bassin d'hommes seulement, ce qui exclut la moitié des talents ?

Les hommes se choisissent entre eux parce qu'ils se connaissent, pour avoir joué ensemble au golf ou au tennis, ou avoir fait une partie de pêche, de chasse. Ils savent l'importance des rencontres informelles pour leur carrière. C'est le fameux *boys club* où se prennent des décisions déterminantes. Trop souvent, les femmes négligent d'entretenir leur réseau. Ce que je recommande à celles qui souhaitent parvenir au plus haut niveau dans leur domaine : apprenez à jouer au golf, embauchez le meilleur professeur s'il le faut.

J'ai donné un jour une conférence à un groupe très sélect de présidents de grandes entreprises. L'un d'eux a raconté que pour pourvoir un poste à la direction des finances de son entreprise, il avait recruté un candidat à l'externe, qu'il avait dû remercier au bout de quelques mois. Après cette expérience infructueuse, il avait examiné la composition de son personnel et y avait repéré une femme qui n'avait pas attiré son attention au début de l'exercice de recrutement. Elle s'est avérée parfaite pour le poste. Ses compétences dépassaient même les exigences que l'on avait eues à l'endroit du premier candidat.

De manière très lucide, devant cet auditoire de présidents, il a analysé froidement son comportement et celui de ses collègues. Pourquoi n'avaient-ils pas remarqué cette candidate plus tôt? Selon lui, c'était une question de préjugés, purement et simplement. Ils n'avaient pas écarté les femmes par méchanceté, ni même consciemment, a-t-il précisé, mais parce qu'il est ancré dans nos schèmes mentaux que les dirigeants d'une entreprise doivent être des hommes, surtout lorsqu'il est question de s'occuper des finances.

Je fais partie de cette génération de femmes qui ont lutté pour occuper la place qui leur revient dans toutes les sphères d'activités. Ayant moi-même occupé plusieurs postes de direction, puis accédé aux plus hautes fonctions du pouvoir, je souhaite qu'un nombre croissant de femmes puisse en faire autant.

On a cru qu'avec le temps les femmes réussiraient tout naturellement à atteindre le sommet. Or, elles restent significativement sous-représentées au sommet de la pyramide entrepreneuriale. Elles n'occupent que 4 à 6 % des postes de chefs d'entreprise. Les plus hautes instances décisionnelles restent largement occupées par des hommes. Le quart des cinquante sociétés québécoises cotées en Bourse les plus importantes ne comptent aucune femme dans leur conseil d'administration. Pour les autres, les femmes n'occupent que 17 % des sièges. Et la proportion de femmes à la haute direction des entreprises québécoises (y compris les vice-présidences) est à peine plus élevée, soit 18,4 %.

Globalement, la proportion de femmes qui siègent aux conseils d'administration des entreprises du Québec oscille entre 12 et 16 %. Elle connaît une augmentation de 0,5 % par année. À ce rythme, la parité sera atteinte en 2085! Le plafond de verre qui empêche les femmes d'occuper les postes névralgiques semble toujours infranchissable. Voilà pourquoi des interventions concrètes s'imposent.

L'avancement des femmes m'a toujours tenu à cœur et cela se reflétait dans mes interventions au Parlement. Quand j'ai quitté mes fonctions de députée et de ministre, en 2009, je tenais à poursuivre d'une autre façon mon engagement auprès des femmes, en mettant à contribution mes connaissances de la politique et du monde des affaires. J'ai donc entrepris l'écriture d'un livre, publié en 2012 sous le titre *Les Femmes au secours de l'économie : pour en finir avec le plafond de verre.*

Essentiellement, je souhaitais transmettre le message suivant : ce n'est pas par charité ni par souci d'égalité que les entreprises doivent recruter des femmes à leur direction, mais bien parce que c'est payant. Il est en effet documenté, aujourd'hui, que les entreprises ayant des femmes au sein de leurs instances décisionnelles offrent une meilleure performance et, en fin de compte, gagnent plus d'argent. Si elles veulent prospérer dans l'économie du XXIᵉ siècle, les entreprises ne peuvent plus ignorer cette donne. Ce potentiel actuellement sous-utilisé peut nous permettre d'accroître la productivité du Québec et de nous enrichir collectivement.

J'ai prononcé de nombreuses conférences sur le sujet. Le fait que j'avais moi-même pulvérisé le plafond de verre en devenant présidente du Conseil du trésor et ministre des Finances me donnait la crédibilité nécessaire pour être entendue des gens d'affaires. Car soyons clairs : si j'avais été ministre de la Condition féminine, on ne m'aurait pas invitée. Au début, je m'adressais à des publics exclusivement féminins, puis progressivement, des hommes se sont intéressés à la question. Ils forment maintenant très souvent la moitié de l'assistance.

Les pays européens ont beaucoup fait progresser la situation en légiférant dans ce domaine. À la fin de 2013, le Parlement européen a adopté une directive concernant l'équilibre hommes-femmes aux conseils d'administration des grandes entreprises européennes, qui fixe à 40 % la proportion de femmes à atteindre d'ici 2020.

Alors qu'elle se classait presque dernière du peloton des pays industrialisés, la France a promulgué en janvier 2011 une loi prévoyant l'instauration progressive de quotas favorisant la féminisation des instances dirigeantes des grandes entreprises. La cible de 20 % après trois ans prévue par la loi a été dépassée : les entreprises visées avaient plus de 30 % de femmes à leurs conseils d'administration en 2014.

Pendant longtemps, dans le milieu des affaires québécois, j'ai été la seule à défendre la pertinence des quotas réglementés. C'était le cas lorsque j'ai coprésidé la Table des partenaires influents en 2012 et 2013. Créé par Christine St-Pierre, alors ministre de la Culture, des Communications et de la Condition féminine, ce comité avait pour mission de recommander au gouvernement des stratégies d'action afin d'accélérer l'augmentation du nombre de femmes dans la gouvernance des sociétés québécoises cotées en Bourse. Notre comité, formé de quatre femmes et quatre hommes, a opté pour une approche incitative plutôt qu'impérative.

Or, légiférer m'apparaît la seule façon de faire évoluer significativement les choses, et je crois que le Québec devra un jour s'y résoudre. Ma formation béhavioriste m'a persuadée que c'est en modifiant les comportements des gens qu'on finit par changer les perceptions, et non l'inverse. Je suis toutefois consciente des difficultés qu'impliquerait une législation en la matière pour le gouvernement du Québec, puisque la vaste majorité des sociétés québécoises cotées en Bourse est régie par des lois fédérales.

Le premier ministre Philippe Couillard a clairement pris position en faveur d'une mesure du type « appliquer ou s'expliquer » pour les entreprises cotées en Bourse. Cette approche consiste à exiger qu'elles se dotent d'un plan visant à atteindre une représentation féminine équitable à leur haute direction et leur conseil d'administration, et qu'elles soient tenues de rapporter les progrès réalisés en la matière. Il s'agit d'un premier pas, timide certes, mais dans la bonne direction.

La parité est déjà atteinte dans les conseils d'administration des sociétés d'État québécoises, grâce à la Loi sur la gouvernance des sociétés d'État adoptée en 2006 par le gouvernement Charest, dont je faisais partie. Contrairement à toutes les balivernes qui ont été colportées à ce sujet, c'était bien une idée de Jean Charest, qui l'a proposée au Conseil des ministres, à notre grand étonnement et, bien sûr, à notre grande satisfaction. En cinq ans, la proportion de femmes y est passée de 27,5 % à 52,4 %.

Certaines grandes entreprises n'ont pas attendu d'y être contraintes pour implanter des mesures qui ont porté leurs fruits. Au Canada, le secteur financier fait bonne figure à cet égard, puisque les grandes banques canadiennes s'approchent toutes de la parité dans la composition de leur haute direction.

La Banque de Montréal s'intéresse depuis deux décennies à l'avancement des femmes au sein de ses instances de direction. Aujourd'hui, plus de 40 % des postes de la haute direction de l'institution sont occupés par des femmes. Il en va de même à la Toronto Dominion, à la Banque Royale du Canada, à la Banque CIBC et à la Banque Nationale du Canada.

Louis Vachon, le président et chef de la direction de la Banque Nationale du Canada, s'assure qu'on nomme une femme une fois sur deux quand des postes s'ouvrent à un conseil d'administration. Il ne se satisfait pas d'une représentation féminine de 40 % – ce que l'on considère comme la zone paritaire – mais cible 50 %. Monique Leroux, la présidente et chef de la direction du Mouvement des caisses Desjardins, a littéralement transformé la composition de la haute direction, en plus d'inciter les caisses populaires de son réseau à viser la parité au sein de leurs conseils d'administration.

À l'automne 2013, j'ai présenté mon livre dans une réunion d'affaires où se trouvaient quelques PDG, dont Marc Dutil, de la multinationale québécoise Canam. Dès le lendemain, ai-je appris par la suite, il s'entretenait avec son vice-président aux ressources humaines sur la question de la progression des femmes et, peu de temps après, il créait un comité spécial chargé d'examiner et de valoriser le rôle des femmes au sein de l'entreprise. Voilà un autre exemple d'un leader qui décide de s'attaquer volontairement à ce défi et qui en fait une priorité.

Alors que j'étais présidente de la CSST, j'ai imposé à tous les vice-présidents de s'assurer de la présence de femmes à la haute direction. Après quelques mois, nous avions atteint l'objectif de 25 % que nous avions fixé.

Même si ces initiatives restent l'exception, je constate des progrès depuis que j'ai enfourché ce cheval de bataille. En avril 2014, j'apprenais avec plaisir que l'Association des femmes en finance du Québec se prononçait en faveur des quotas réglementés. Je suis contente de voir un groupe aussi prestigieux endosser une telle approche. Je félicite ces femmes pour leur audace et leur courage, car les femmes sont nombreuses à s'abstenir de prendre position, peut-être par crainte d'être mal vues lorsqu'elles siègent à des conseils d'administration.

J'ai entendu des hommes, et même des femmes, affirmer sans la moindre gêne qu'avec l'imposition de quotas les dirigeants auront du mal à recruter et se verront obligés de nommer leur sœur, leur femme ou leur cousine. S'il a justifié des décennies d'inertie, cet argument ne tient plus la route aujourd'hui. Il relève tout simplement de la mauvaise foi.

J'ai moi-même cru pendant un certain temps que le bassin de femmes compétentes était hélas trop restreint, ce qui expliquait leur sous-représentation dans les hautes directions ou les conseils d'administration. Mes recherches sur le sujet m'ont prouvé que c'était faux. Il existe des femmes très qualifiées pour pourvoir pratiquement tous les postes dans nos entreprises. À partir des années 1980, autant de femmes que d'hommes ont été diplômés des universités québécoises. Les femmes représentent depuis dix ans presque 50 % des diplômés des programmes en administration et en comptabilité. La discrimination systémique est plutôt imputable à des préjugés bien enracinés.

Première ministre

Le soir du 4 septembre 2012, je me suis réjouie que Pauline Marois devienne la première femme première ministre du Québec. Je n'avais pas voté pour elle et j'avais perdu mes élections, mais j'étais très heureuse de voir advenir cet événement historique de mon vivant. Aussi lui ai-je transmis mes félicitations.

Cette élection envoyait aux jeunes Québécoises un message important : osez, car c'est possible ! Tous les métiers vous sont désormais accessibles, y compris la fonction de première ministre.

Je connais Pauline Marois depuis presque quarante ans. J'ai fait sa connaissance à l'époque où j'œuvrais à la Fédération des femmes du Québec. Sans être des amies, nous nous respectons mutuellement. C'était une politicienne engagée et forte, dont on peut dire qu'elle a défoncé plusieurs plafonds de verre, si l'on considère qu'elle a occupé plusieurs fonctions ministérielles et dirigé un parti reconnu pour « manger » ses chefs.

En raison d'une série de mauvaises décisions, elle a perdu le pouvoir à peine dix-huit mois après son élection. J'ai alors laissé le message suivant sur sa boîte vocale : « Chère Pauline, je peux t'assurer qu'une vie magnifique t'attend. Le Mexique est un pays merveilleux, et tu pourras désormais profiter pleinement de tes séjours au soleil. » Je savais qu'avec son mari elle avait acquis une résidence au Mexique. Je parlais en toute connaissance de cause en lui prédisant des jours heureux.

*

Est-ce que j'aurais souhaité être première ministre ? On m'a posé cette question à plusieurs reprises.

En 1983, j'avais été approchée pour me présenter dans la course à la chefferie du Parti libéral du Québec, contre Daniel Johnson et Robert Bourassa, qui effectuait son retour en politique. Comme je savais que je n'avais aucune chance de l'emporter, cela ne m'a pas intéressée. Voilà peut-être un comportement typiquement féminin. Un homme se serait dit : « Je tente ma chance. » C'est ce qu'a fait Pierre Paradis, qui était le moins connu des trois et s'est classé deuxième, devant Daniel Johnson. Il a ensuite fallu attendre trente ans avant que se tienne une autre course à la chefferie au Parti libéral.

Après les élections générales de 2012, alors que s'amorçaient les démarches pour trouver le successeur de Jean Charest, j'ai reçu un coup de fil de Christine St-Pierre, qui s'est exclamée : « Tu te lances dans la course à la chefferie ! » À mon insu, une page Facebook créée en mon nom recueillait des appuis à ma candidature. L'information était en ligne depuis deux heures seulement et plusieurs personnes m'avaient déjà manifesté leur soutien ! Je me souviens que ce fut la croix et la bannière pour mettre fin à cette imposture.

J'avais alors quitté la politique active depuis plus de trois ans et j'appréciais au plus haut point la vie que je menais, ayant trouvé le parfait équilibre entre mes activités publiques et ma vie privée. Claude et moi avons toujours aimé voyager et nous pouvions désormais le faire à notre guise sans que je sois constamment prise au téléphone, comme c'était le cas lorsque j'étais ministre et que je partais en vacances.

Je n'avais nulle intention de revenir dans l'arène politique, même en tant que chef du parti. Trois hommes se sont lancés dans la bataille. Je crois fermement que les hommes ont davantage d'appétit pour le risque.

Devenir la «numéro un» du parti m'aurait certainement intéressée si j'avais été plus jeune. Mais j'ai fait une entrée tardive en politique, qui n'avait pas été planifiée.

Je savais que j'aurais une vie professionnelle intéressante, mais je ne m'étais jamais imaginé jouer un rôle important dans la société, encore moins devenir une personnalité publique. Était-ce un manque d'ambition? Autour de moi, ce sont les hommes que j'ai vus se projeter dans le futur, en tant que président d'entreprise ou même premier ministre. Les femmes de ma génération n'étaient pas encouragées à s'investir dans la sphère publique. Le parcours professionnel que j'ai eu, atypique, s'est fait en quelque sorte contre toute attente.

D'ailleurs, aucun moment de ma carrière n'a été le résultat d'une quelconque stratégie. J'ai tout simplement saisi les occasions en ayant l'audace de me lancer même lorsque je ne me sentais pas parfaitement prête. J'ai ainsi découvert que je portais sans le savoir un parachute dans le dos capable de me protéger même dans les chutes les plus vertigineuses, comme je l'ai évoqué précédemment.

*

En 2007, j'ai eu la grande joie de faire partie du premier Conseil des ministres paritaire de l'histoire du Québec : neuf femmes et neuf hommes. Et je souligne que les femmes y avaient des ministères clés, historiquement toujours confiés à des hommes. Cette fois, elles étaient à l'avant-plan.

Pour ma part, en plus du Conseil du trésor, que je pilotais déjà depuis quatre ans, le premier ministre me confiait le ministère des Finances. Après Jacques Parizeau, en 1976, personne n'avait occupé ces deux fonctions stratégiques en même temps. Je l'ai pris comme une grande marque de reconnaissance de la part de Jean Charest. En introduction de mon premier discours du budget, j'ai tenu à souligner que, en nommant pour la première fois autant de femmes que d'hommes au plus prestigieux conseil d'administration au Québec, il avait fait éclater ce plafond de verre, cette barrière qu'on ne voit pas mais qui a freiné l'ascension de bien des femmes de talent. Je tenais à remercier publiquement le premier ministre pour cette avancée.

Depuis l'entrée, en 1961, d'une première femme au Conseil des ministres – l'avocate Marie-Claire Kirkland-Casgrain – dans le cabinet de Jean Lesage, il avait fallu attendre jusqu'en 1994, dans le gouvernement de Daniel Johnson, pour dépasser la barre des 20 % de femmes ministres.

Jean Charest a été le premier et le seul premier ministre du Québec à former un Conseil des ministres paritaire. Il croit beaucoup à l'égalité des chances pour les femmes. L'influence de Michèle Dionne, son épouse, et le fait qu'il soit père de deux filles n'étaient pas étrangers à sa volonté de faire progresser le Québec sur ce plan. Nous devons nous rappeler qu'il a fait sa marque en matière d'équité entre les sexes.

*

L'accès équitable des femmes à la sphère politique n'est toujours pas gagné. Non seulement les progrès s'avèrent lents et ardus, mais il y a également des reculs. Aux élections d'avril 2014, la députation féminine a décru, passant de quarante et une femmes (33 % des députés) à trente-quatre (27 %).

Il est hélas souvent difficile, pour ne pas dire impossible, d'inciter des femmes à se lancer en politique. Combien de refus ai-je essuyés après avoir approché des candidates qui m'apparaissaient avoir le profil tout désigné !

Certains pays sont allés jusqu'à légiférer pour obliger les formations politiques à présenter un nombre égal de femmes et d'hommes aux élections législatives. C'est le cas de la France, qui impose des pénalités financières aux partis politiques récalcitrants.

À partir du moment où une masse critique de femmes investit le Parlement, que l'on pourrait situer autour de 20 % de députés, les revendications des femmes se retrouvent davantage à l'ordre du jour. Ce sont les députées qui ont porté les dossiers de l'équité salariale, des garderies et des congés parentaux, à une époque où leurs collègues masculins se sentaient peu concernés par ces questions. Aujourd'hui, il serait impensable que ces derniers restent insensibles aux dossiers qui touchent les femmes de près.

*

Au cours de mes dix années de vie politique, dans l'opposition comme au pouvoir, j'ai expérimenté beaucoup plus de solidarité que de tension ou de rivalité avec les autres femmes politiques.

À Québec, nous organisions des dîners entre nous qui intriguaient beaucoup nos collègues masculins. Malheureusement, nous ne sommes jamais parvenues à tenir ce week-end de pêche entre filles que nous nous promettions d'organiser. Chaque fois, nos responsabilités professionnelles nous en ont empêchées. Nos collègues masculins se permettaient pourtant ces escapades année après année. Nous gagnerions parfois à être moins sérieuses et à nous inspirer des hommes, plus enjoués et grégaires. Par ces moments de loisir qu'ils s'accordent sans complexes, ils cultivent des qualités qui leur servent par la suite dans le domaine professionnel. Je crois que ces activités en groupe améliorent leur confiance en eux et contribuent à leur donner ce goût du risque qui fait souvent cruellement défaut aux femmes et les empêche de réaliser pleinement leur potentiel.

LA MENTOR

Entrevue avec Véronique Mercier

Véronique Mercier me reçoit dans les bureaux de TVA, à Montréal. Immédiatement, une familiarité s'installe entre cette jeune femme volubile et moi. Il m'est difficile de croire que la vice-présidente Communications du Groupe Média et de Groupe TVA était autrefois d'une timidité excessive qu'elle a réussi à dompter en s'entraînant à la boxe, m'apprendra-t-elle au cours de l'entrevue.

Elle a amorcé sa carrière comme attachée de presse du premier ministre du Nouveau-Brunswick, Bernard Lord, avant de devenir celle de la ministre Monique Jérôme-Forget. «Elle a été pour moi davantage qu'une patronne. Elle est une mentor exceptionnelle.»

La jeune femme se considère comme privilégiée d'avoir pu garder un lien avec Monique Jérôme-Forget même si elles ne travaillent plus ensemble depuis plusieurs années. «Nous nous parlons souvent et prenons même le petit-déjeuner toutes les deux régulièrement. Nous discutons de tout. Dans les bons moments de ma carrière comme dans les plus difficiles, elle était là pour m'appuyer et me conseiller. Je lui ai déjà dit que j'avais hâte qu'une biographie d'elle soit publiée ! J'ai l'impression d'être une élève qui a reçu énormément et je souhaite que le Québec en entier bénéficie de son expérience. »

En 2006, Monique Jérôme-Forget a proposé à Véronique Mercier de devenir sa chef de cabinet. « J'étais son attachée de presse depuis deux ans, mais je n'avais que vingt-sept ans quand elle m'a nommée à ce poste prestigieux. Cela m'a donné des ailes qu'une femme de son envergure et qui pilotait des dossiers aussi importants croie que j'étais capable d'occuper cette fonction normalement réservée à quelqu'un de plus âgé, avec un CV plus riche que le mien. J'ai voulu lui prouver qu'elle avait eu raison de me faire confiance.

« Pour elle, l'âge n'avait pas d'importance. Elle me disait qu'étant d'une autre génération je pouvais lui offrir autre chose que ce que lui apportaient ses collaborateurs plus expérimentés. De plus, j'étais capable d'argumenter lorsque nos opinions divergeaient, ce qu'elle appréciait beaucoup. Une personne ayant une telle force de caractère peut être intimidante pour beaucoup de gens, mais ce ne l'était pas pour moi. Quand je lui suggérais une façon de communiquer publiquement un message, elle se montrait très réceptive. Elle préférait parfois exprimer les choses plus directement, et je lui expliquais que ses propos pourraient alors être perçus de telle manière, avoir tel impact. Elle a toujours écouté mes conseils, mais il est arrivé qu'elle décide quand même d'en faire à sa tête », explique Véronique Mercier en souriant.

Elle précise que Monique Jérôme-Forget non seulement lui a accordé sa confiance, mais a consacré beaucoup d'attention à son développement professionnel. « Je l'accompagnais à toutes ses réunions. Elle prenait toujours le temps de m'expliquer la réflexion qui sous-tendait ses décisions. Elle m'a permis de comprendre les grands enjeux du Québec et m'a également enseigné comment interagir avec les hauts dirigeants. Pour moi qui ai été élevée dans une famille de la classe moyenne, par des parents qui n'étaient pas politisés, c'était inestimable d'avoir cette opportunité. C'est sans aucun doute grâce à tous les conseils de Mme Jérôme-Forget que j'ai pu par la suite devenir gestionnaire au sein de grandes entreprises. »

La jeune femme a énormément appris en observant la ministre à l'œuvre, avec le style d'intervention qui lui était propre. « Avant une rencontre, je lui résumais rapidement le dossier, parfois lorsque nous nous déplacions d'une salle à une autre dans un corridor. Je lui suggérais des questions à poser pour mieux comprendre certaines recommandations du ministère. Puis je me rendais parfois compte qu'une fois en présence des fonctionnaires ou des hauts dirigeants, elle changeait le plan de rencontre et préférait les écouter. Elle me disait que c'était alors la psychologue en elle qui prenait le relais ! Elle s'assurait ainsi d'aller chercher toute l'information avant même de poser certaines questions. Mme Jérôme-Forget est une rassembleuse. Elle m'a enseigné que, au-delà de la confrontation, il faut s'employer à identifier les solutions qui rallieront les gens.

« Ce n'est pas pour rien que le premier ministre lui a confié des projets comme la réingénierie de l'État, qui nécessitait des restructurations dans tout l'appareil gouvernemental. Jean Charest savait qu'elle pouvait faire aboutir les dossiers qu'elle prenait en main, aussi complexes et délicats soient-ils. Il avait une grande confiance en elle. »

Monique Jérôme-Forget n'avait déjà plus de jeunes enfants à l'époque où elle s'est lancée en politique. Elle se montrait néanmoins très sensible à la question de la conciliation famille-travail pour son personnel, selon les témoignages que j'ai recueillis. Son ex-chef de cabinet le confirme : « Je passais la semaine à Québec alors que ma petite famille vivait à Montréal. Mme Jérôme-Forget s'informait régulièrement de la façon dont cela se passait pour moi à la maison. Sachant que je consacrais beaucoup de temps à mon travail, elle considérait comme essentiel que je sois heureuse sur le plan personnel. Elle me rappelait qu'il y a des moments où nos enfants ont besoin de nous et qu'il ne faut pas les rater. Un jour, elle m'a incitée à aller passer l'Halloween avec mon fils, à Montréal. Je suis partie à midi de Québec et j'étais de retour, tard cette soirée-là. Elle m'a fait comprendre qu'il était possible d'avancer dans sa carrière, d'avoir des enfants et de rester équilibrée. Si elle ne m'avait pas guidée sur ce plan, j'aurais fort probablement limité mes ambitions. »

Le ton de Véronique Mercier se fait plus grave et elle me confie : « Ses conseils m'ont aidée à trouver un équilibre entre la maternité et la carrière, c'est vrai, mais je dois dire que tout récemment elle m'a aussi inspirée par son exemple sur un autre plan. Avec nos carrières, nous n'avions pas de temps pour faire de l'exercice. Il y a un peu plus d'un an, j'ai vu Mme Jérôme-Forget, à soixante-dix ans et bien que très occupée, se mettre à faire davantage attention à sa santé et à perdre du poids. Cela m'a motivée à faire de même. À ce moment-là, j'ai pris conscience que pendant neuf ans j'avais consacré toute mon énergie à mon travail et à ma famille, et que je m'étais oubliée comme femme. Je me suis remise à l'entraînement. Aujourd'hui, je suis plus en forme qu'avant d'avoir eu mes enfants ! »

Parce qu'elle a eu la chance d'aller à la meilleure école et d'être propulsée par une mentor qui respectait sa réalité de mère, Véronique Mercier estime aujourd'hui crucial de soutenir à son tour les femmes qui travaillent sous sa direction. « Plusieurs de mes copines ont laissé leur poste de cadre pour un emploi moins prenant, afin de pouvoir passer davantage de temps avec leurs enfants. Ce n'est pas un choix facile. Ici, je fais tout ce qui est en mon pouvoir pour stimuler les employées et leur permettre de grandir au sein de l'entreprise tout en ayant des enfants. J'ai compris cette leçon de Mme Jérôme-Forget : seul l'équilibre permet d'exceller dans toutes les sphères de la vie. »

Selon Véronique Mercier, l'équité salariale s'avère l'un des plus beaux combats que la ministre ait menés. « Pendant des années, ce dossier n'avait mené nulle part. Avec Mme Carbonneau, elle a réussi à le régler, ce qui a requis des années de travail. » C'est toutefois ce que la ministre a fait pour les infrastructures québécoises que son ex-chef de cabinet admire le plus. « Elle a instauré un cadre de gouvernance grâce auquel nos dirigeants ne pourront plus laisser le Québec se détériorer, que ce soit nos routes, nos écoles, nos hôpitaux. Quand le projet de loi a été déposé, je suis devenue très émue. J'ai remercié Mme Jérôme-Forget, en pensant aux générations futures, à mes enfants. »

Je demande à cette spécialiste des communications si elle considère qu'il existait un décalage entre la ministre telle qu'elle était et son image médiatique. « Oui. C'est son image de dure à cuire qui ressortait dans les clips de quelques secondes aux nouvelles, en raison de la nature même des dossiers qu'elle gérait, notamment les négociations avec les employés du secteur public. Sa chaleur, son humanité et son grand sens de l'humour, on les constate en la côtoyant de près, ou en regardant une longue entrevue avec elle. »

Lorsque Monique Jérôme-Forget a pris la décision de quitter la politique, Véronique Mercier était en congé de maternité après la naissance de sa fille. « Avec deux enfants, je savais que je ne pourrais pas tenir le même rythme et j'avais décidé de ne pas retourner travailler à Québec. Mme Jérôme-Forget m'a demandé quelques conseils pour l'aider à préparer l'annonce de son départ. Je lui ai répondu que je reviendrais à Québec l'appuyer pour préparer son dernier budget comme ministre des Finances, de même que son départ de la politique. Je ne l'aurais fait pour personne d'autre et je suis très fière d'avoir ainsi pu remercier cette femme extraordinaire pour tout ce qu'elle m'avait apporté.

« Le Québec a alors perdu une grande dame de la politique, qui voulait le bien de la province », estime Véronique Mercier. Elle considère toutefois que Monique Jérôme-Forget a su se retirer au bon moment. « C'est une vie extrêmement exigeante. Dix ans en politique, c'est beaucoup. Elle est partie au moment où elle a estimé qu'elle avait accompli ce qui lui tenait vraiment à cœur. »

C'est à regret que nous mettons fin à cette entrevue, qui a pris l'allure d'un échange au sujet d'une amie commune. Comme je veux passer aux toilettes avant de partir, Véronique Mercier me propose de m'y conduire. À notre arrivée, une femme sort d'une des cabines et, prise d'un malaise, elle s'allonge sur le carrelage pour ne pas tomber. Immédiatement, oubliant qu'elle porte robe ajustée et talons hauts, Véronique s'accroupit et lui surélève les jambes tout en lui parlant pour s'informer de son état. Elle confie ensuite cette tâche à une autre et passe du papier à mains sous l'eau froide. Ce faisant, elle demande qu'on avise son adjointe qu'elle sera en retard à son prochain rendez-vous puis tamponne le front de la malade. Elle prend le temps de s'excuser de ne pouvoir me raccompagner jusqu'à l'ascenseur.

Cette jeune femme est vraiment faite de la même étoffe que sa mentor, me suis-je dit en repensant à la scène plus éloquente que des paroles. Toutes deux sont indéniablement des leaders naturelles, des femmes d'action capables d'intervenir sur plusieurs fronts, mais pour qui l'attention envers les personnes restera toujours la priorité.

Partie III

La parlementaire

Faire le saut

De 1991 à 1998, j'ai passé sept années très heureuses à la direction de l'Institut de recherche en politiques publiques. L'IRPP est un organisme pancanadien indépendant et bilingue situé à Montréal, qui mène des recherches sur tout ce qui relève des politiques publiques, dans des domaines très variés : santé, éducation, environnement, finance, urbanisme, etc. Bref, sur à peu près tout ce qui peut alimenter les débats concernant les enjeux publics.

Dans ce laboratoire d'idées, communément appelé *Think Tank*, je dirigeais une équipe d'experts qui apportaient un éclairage nouveau à ces sujets. Nous avons reçu des conférenciers d'envergure internationale et j'ai ainsi pu me familiariser avec les grands courants de pensée en matière de politiques publiques, ici et dans le monde. Ce bagage m'a permis d'asseoir ma vision du Québec du XXIᵉ siècle sur des bases solides. Ce fut une période très enrichissante de ma vie professionnelle, dont mon saut en politique active deviendrait en quelque sorte la suite logique, lorsque j'accepterais l'invitation de Jean Charest à me joindre à son équipe.

Avant lui, d'autres m'avaient approchée. Lors de son retour sur la scène politique, Robert Bourassa m'avait proposé de me présenter aux élections de 1985. J'avais aussi auparavant été contactée par l'équipe de Pierre E. Trudeau, puis par celle de Brian Mulroney, à l'époque où j'étais sous-ministre adjointe au ministère de la Santé et du Bien-être, à Ottawa. Chaque fois j'avais refusé.

Semblable en cela à de nombreuses femmes qui ne s'estiment jamais assez préparées, j'avais alors l'impression qu'il était trop tôt pour envisager une carrière politique. Mais je dois aussi dire que je me sentais parfaitement à ma place dans la fonction publique. Je considérais que c'était là où je pouvais le mieux m'épanouir et contribuer à la société.

En 1998, Jean Charest venait de faire son passage de la scène politique fédérale à la scène provinciale en devenant chef du Parti libéral du Québec. John Parisella, qui recrutait des candidats en prévision des élections générales, avait demandé à me rencontrer. Avec le talent de persuasion qu'on lui connaît, il a su me mettre l'eau à la bouche. Mais comme je demeurais hésitante, il a cru bon de passer la balle au chef, se disant que ce dernier pourrait facilement me convaincre.

Peu de temps après, Jean Charest m'a donc invitée à déjeuner dans un restaurant de Montréal où nous avons longuement discuté. Comme moi, il croyait que le moment était venu de donner un coup de barre. Les propos de Jean Charest quant aux politiques publiques correspondaient exactement à ce que j'avais envie d'entendre. Notre communauté d'esprit m'emballait. J'ai également senti que nous avions des atomes crochus sur le plan personnel, une intuition qui s'est avérée.

Alors qu'il était chef du Parti progressiste-conservateur, quelques années plus tôt, il m'avait invitée à prononcer une conférence à titre de présidente de l'IRPP. Il voyait en moi une personne capable d'aborder les dossiers selon une perspective nouvelle, et surtout de les vendre à la population, de les défendre contre ceux qui ne manqueraient pas de s'y opposer. Le courant passera entre nous lorsque viendra le temps de travailler ensemble, ai-je alors pensé. Sans me faire de promesse, il m'a dit ce jour-là qu'il me voyait bien à la tête de plusieurs ministères. Je n'étais pas du genre à en exiger un en particulier, comme certains le font avant de consentir à se lancer dans l'aventure.

J'avais cinquante-huit ans. À la direction de l'IRPP, le poste que j'ai occupé le plus longtemps, j'avais fait le tour du jardin. Si je devais faire le saut en politique, c'était à ce moment-là ou jamais. J'ai donc dit oui à Jean Charest avant la fin du repas, en prenant soin de préciser que si notre parti ne gagnait pas les élections, je serais heureuse de faire mon entrée à l'Assemblée nationale sur les bancs de l'opposition, en dépit du fait que mon salaire serait amputé des deux tiers.

Je me suis présentée comme candidate dans Marguerite-Bourgeoys, un château fort libéral sur l'île de Montréal. Claude, mon mari, a été à mes côtés pendant toute la campagne électorale. Il a fait du porte-à-porte avec moi, distribué des dépliants et travaillé au bureau de circonscription, tout comme je l'avais fait autrefois pour lui dans son comté de Saint-Laurent. Mes enfants n'ont pu se joindre à moi : Nicolas vivait alors à Singapour et Élise était à quelques jours d'accoucher de son premier enfant.

Dès le début de la campagne, les organisateurs, dans ma circonscription, ont constaté que je ne tolérerais aucun accroc à la Loi électorale. J'étais intransigeante sur ce plan, sachant que des militants zélés pouvaient être tentés de tourner les coins ronds afin de faire élire leur candidat. Un organisateur m'avait d'ailleurs dit que ce n'était pas grave si je n'étais pas au courant de tout, que c'était lui qui s'occupait du déroulement de la campagne dans le comté. Je lui ai fait comprendre on ne peut plus clairement que si j'apprenais que quelqu'un m'avait joué dans le dos, le lendemain matin ne serait pas assez tôt pour qu'il prenne la porte. Je savais qu'aucun doute ne devait planer quant à mon intégrité. En politique, il faut être plus catholique que le pape, plus blanc que Blanche-Neige.

Lorsque mon mari a été élu député, en 1973, puis nommé ministre des Affaires sociales dans le gouvernement Bourassa, j'ai refusé la bourse d'études doctorales que je recevais depuis déjà deux ans du gouvernement du Québec et qui m'était accordée pour une troisième année. Personne ne m'avait demandé de le faire, mais je ne voulais pas un seul instant qu'on pense que j'avais été favorisée parce que j'étais l'épouse d'un ministre. Heureusement, j'ai reçu par la suite la bourse McConnell de l'Université McGill, grâce à laquelle j'ai pu compléter mon doctorat.

Et même si vous êtes au-dessus de tout soupçon, la politique est ainsi faite que personne n'est à l'abri des intentions malveillantes. Un jour, à l'Assemblée nationale, Stéphane Bergeron, du Parti québécois, a brandi une photo de moi en compagnie de la fille de l'homme d'affaires Tony Accurso, insinuant que j'étais une amie de cette personne. La photo avait été prise en 2008, alors que j'assistais au lancement de la campagne du candidat Martin Cossette dans Crémazie. Or, je ne connais pas cette femme. Je ne saurais pas l'identifier si elle se trouvait devant moi. Comme toutes les personnalités publiques, je rencontrais des milliers de personnes chaque année et me faisais photographier des dizaines de fois avec des gens dont j'ignorais tout. J'ai trouvé méprisable cette tentative de m'associer à Tony Accurso. Cela fait peut-être partie du jeu politique, mais je déplore au plus haut point ce genre de manœuvre visant à entacher des réputations.

Le 30 novembre 1998, je suis devenue la députée de Marguerite-Bourgeoys. J'étais alors inconnue du grand public et j'admets bien humblement que mon seul mérite avait été de me présenter sous la bannière libérale dans une circonscription qui a toujours voté rouge.

Les miens

J'ai fait quatre campagnes électorales. Dans mon cœur et dans mes priorités, les citoyens de Marguerite-Bourgeoys sont rapidement devenus « les miens », ceux que je défendais envers et contre tous.

Il y a quelque chose de très puissant dans le fait de représenter des gens à l'Assemblée nationale. Mon comté, c'était sacré pour moi. Je n'ai jamais subi la défaite, mais j'imagine à quel point ce doit être tragique de se faire rejeter par son propre monde.

De par leurs fonctions, les ministres mènent un style de vie à des lieues du quotidien de la majorité des citoyens. Les campagnes électorales obligent les élus à descendre de leur tour d'ivoire pour prendre le pouls de la population, ce qui est une très bonne chose. On ne peut faire de la politique correctement que si l'on reste proche des gens et accessible.

Je doute que faire du porte-à-porte permette vraiment de gagner de nouveaux votes, mais c'est l'occasion toute désignée d'aller à la rencontre des électeurs et de connaître leurs véritables préoccupations. J'ai pu constater que les grands idéaux et les grands projets de société qui animent les hommes et les femmes politiques demeurent loin des soucis immédiats des électeurs. Très souvent, ces derniers se demandent comment ils parviendront à joindre les deux bouts, où trouver un médecin de famille ou encore à qui s'adresser afin d'obtenir une place en centre d'hébergement pour leur mère en perte d'autonomie ou des services pour leur enfant autiste.

La majorité des résidents de Marguerite-Bourgeoys ont des revenus modestes, parfois même très modestes. Ils sont issus de plusieurs communautés, dont la communauté italienne que j'affectionne particulièrement. Pour chaque élection, mes femmes italiennes, comme je les appelais, préparaient des biscuits divins pour les bénévoles, dont raffolaient aussi mon mari et Gilles, mon garde du corps.

Son caractère multiethnique a certainement été l'une des raisons pour lesquelles j'ai tant aimé ce comté. J'étais touchée de faire la connaissance de ces femmes et de ces hommes qui avaient immigré au Québec avec autant d'espoir dans le cœur. Plusieurs, parmi les plus vieux, ne parlaient ni français ni anglais, alors que leurs enfants et petits-enfants nés ici étaient parfaitement intégrés. Il devient très difficile d'apprendre une langue à partir d'un certain âge. Je sais de quoi je parle, car je vis plusieurs mois par année au Mexique et j'ai consacré beaucoup d'efforts à l'apprentissage de l'espagnol, que je ne maîtrise toujours pas comme je le voudrais.

Le sort des gens âgés de mon comté me préoccupait tout particulièrement. Quand j'étais ministre, j'allais visiter certains d'entre eux. Je prenais soin de m'annoncer, sachant qu'ils étaient plutôt craintifs et ne m'auraient jamais ouvert la porte. Plusieurs connaissaient des problèmes de santé et leurs proches ne venaient pratiquement jamais les voir. Il m'arrivait à l'occasion de téléphoner à leurs enfants pour les informer de la situation dans laquelle se trouvait leur mère ou leur père. Évidemment, on ne reçoit pas tous les jours le coup de fil d'une ministre, alors cela produisait son effet : la famille rappliquait peu de temps après.

Ces gens âgés de mon comté, qui avaient travaillé fort toute leur vie, finissaient souvent leurs jours dans le dénuement et la solitude. Les visiter me confortait dans ma volonté de créer de la richesse au Québec, afin de mieux financer les programmes sociaux indispensables aux moins fortunés.

Les gens qui avaient vent de ces visites se montraient parfois étonnés de me voir démontrer cette sensibilité. Par l'image que leur envoyaient les médias, certains m'ont perçue comme une femme dure, alors que je faisais surtout preuve de détermination et de rigueur. Dans le format très court qu'est celui des reportages télévisés, une personne qui a pour responsabilité de gérer l'argent des contribuables et de négocier des conventions collectives peut difficilement incarner la souplesse et la candeur. Avec cette lorgnette étroite, les syndicats m'ont souvent dépeinte comme une bureaucrate sans cœur. C'était de bonne guerre, dans le contexte, mais cela ne reflète pas la personne que je suis. Je n'ai jamais jugé ma rigueur incompatible avec le souci du bien-être des gens. Dans mes fonctions de présidente du Conseil du trésor et de ministre des Finances, j'ai toujours gardé à l'esprit qu'il y avait des êtres humains derrière les chiffres, et qu'en fin de compte c'étaient eux qui étaient touchés par nos décisions. Nous devions faire des choix au détriment d'autres priorités tout aussi importantes. Je dois admettre que c'était parfois déchirant.

*

Je crois que prendre soin des personnes âgées ne fait plus partie de notre culture. Dans l'effervescence de la vie moderne, imprégnée des valeurs de la société de consommation, nos vieux parents se retrouvent bien souvent laissés pour compte.

Mes parents ont eu une longue vie. Mon père est mort à quatre-vingt-neuf ans, quelques mois après le décès de ma mère, qui était âgée de quatre-vingt-quatre ans. Il a souffert de la maladie d'Alzheimer pendant plusieurs années. Ma sœur Jocelyne et moi avons dû lui trouver une place dans un centre d'hébergement lorsqu'il nous est apparu évident que ma mère n'avait plus la force de veiller à ses soins. Elle-même ne pouvait se résoudre à prendre cette décision.

La maladie d'Alzheimer isole inévitablement la personne qui en est atteinte, puisque la communication devient pratiquement inexistante. Ma sœur vivait alors à Londres, de sorte que j'étais la seule à visiter mon père. Il m'accueillait toujours avec affabilité mais ne me reconnaissait plus durant la dernière année de sa vie. De mon côté, je ne reconnaissais plus l'homme brillant qu'il avait été, doté d'une mémoire phénoménale et d'une ingéniosité intellectuelle et manuelle qui m'avait émerveillée, petite fille. Mais même ravagé par cette terrible maladie, il est demeuré mon père jusqu'à son dernier souffle.

Détestable partisanerie

J'ai fait mon entrée à l'Assemblée nationale comme députée de l'opposition officielle en décembre 1998. Je me souviens d'avoir confié à mon collègue Jacques Dupuis que je sentais mes genoux s'entrechoquer, exactement comme le jour de mon mariage, à Londres. Je réalisais que je n'étais plus une simple citoyenne, mais que je représentais désormais des dizaines de milliers de personnes et que je me devais d'être à la hauteur de la confiance qu'elles m'avaient accordée en votant pour moi.

En 2003, c'est à titre de ministre que j'ai prêté serment, la main droite posée sur la Bible. Jean Charest a alors remis à chacun des ministres une bible signée de sa main. Lorsque j'ai présenté mon premier budget, il m'a offert le drapeau qui flottait ce jour-là au Parlement. Il n'est pas avare de ces attentions délicates, et je le compte parmi les hommes les plus chaleureux que j'aie côtoyés.

Siéger d'abord dans l'opposition fut pour moi la meilleure des écoles. En fait, je plains les députés qui deviennent ministres dès leur première élection, car il y a déjà énormément à apprendre concernant le processus législatif avant d'assumer des responsabilités ministérielles. Le Parlement est un univers régi par de nombreux codes, que l'expérience nous apprend progressivement. Il faut prendre le temps de les découvrir, quitte à perdre au passage quelques illusions.

C'est ainsi que j'ai été confrontée à ce qu'on appelle la ligne du parti. Nous étions en fin de session parlementaire. Le caucus libéral avait décidé de faire de l'obstruction, communément nommée *filibuster*. En clair, cela consiste à utiliser des moyens réglementaires pour entraver le processus d'adoption d'une loi.

Dans ce cas-là, il s'agissait d'un projet de loi proposé par le ministre des Finances Bernard Landry, du gouvernement du Parti québécois alors dirigé par Lucien Bouchard. C'était à mon avis un projet peu compromettant, de ceux qu'on reconnaît comme des projets de nature technocratique. Nous avions jusqu'alors ralenti le déroulement de la commission parlementaire en lisant les articles un à un. Je trouvais ce comportement enfantin. De façon cavalière, je l'admets, j'ai pris la décision d'approuver tous les articles, sans hésitation. J'allais ainsi à l'encontre de la directive du whip Jean-Marc Fournier, le député de notre parti désigné pour assurer la discipline. Le lendemain, je me suis fait semoncer par lui.

Il m'a rappelé que mon comportement était inadmissible. Qu'au sein d'un parti, dans l'opposition comme au pouvoir, tous étaient censés être solidaires. Or, comme mon parti avait décidé d'appuyer le projet de loi au final, mais qu'il voulait simplement retarder son adoption – probablement pour occuper le ministre Landry et l'empêcher de défendre un autre projet –, je n'avais pas l'impression d'aller à l'encontre de la ligne du parti. J'avais tort.

Il y a encore aujourd'hui des débats sur la pertinence de la solidarité au sein des formations politiques. Je suis d'avis qu'un député représente le comté où il a été élu en défendant les positions d'un parti et qu'il serait mal avisé de croire que les citoyens ont voté pour lui en particulier.

Par ailleurs, il faut souligner que les ministres ont l'occasion d'exprimer ouvertement leurs divergences d'opinions dans le cadre des séances du Conseil des ministres. Des discussions franches ont lieu, puis une fois la décision prise, les ministres s'unissent pour la défendre bec et ongles.

Le Parlement signifie littéralement « l'endroit où l'on parle ». Lors de mon arrivée à l'Assemblée nationale, Pierre Paradis m'a fait remarquer le tableau accroché au-dessus du fauteuil du président. Il s'agit du *Débat sur les langues*, de l'artiste Charles Huot, qui représente l'une des premières séances du Parlement du Bas-Canada, au début de 1793, où des hommes débattent de façon animée dans l'enceinte parlementaire (en l'occurrence sur la question de la légitimité de l'emploi du français en Chambre).

Dans notre système parlementaire hérité des Britanniques, le parti qui représente l'opposition officielle devient le porte-parole de ceux et celles qui s'opposent. Cela signifie que nous n'endossons pas forcément tout ce que nous défendons en tant que députés de l'opposition, mais que nous prêtons notre voix afin de faire entendre des points de vue qui diffèrent de ceux qui sont adoptés par le gouvernement. Toutefois, un parti politique refusera de défendre une position qui va totalement à l'encontre de ses vues.

Lorsqu'un parti remporte les élections, le plus souvent, il a obtenu l'appui de moins de la moitié des électeurs. Les députés du parti élu doivent savourer la victoire sans toutefois oublier qu'ils n'ont pas gagné le cœur de tous. Or, le gouvernement doit gérer les affaires de l'État pour l'ensemble des citoyens. Par conséquent, il a le devoir d'écouter ce que les élus d'autres allégeances ont à dire sur les sujets à l'étude.

*

Ce que j'appelle la partisanerie regroupe un vaste arsenal de pratiques. Il m'est arrivé d'adresser des questions à des ministres dans le seul but de les déstabiliser. J'ai aussi tenu des propos tendancieux à plusieurs occasions.

Les députés de l'opposition reçoivent de l'information de diverses sources, notamment de gens qui se sentent lésés par une décision du gouvernement et qui ne se gêneront pas pour fournir des renseignements confidentiels. Le critique de l'opposition qui affronte le ministre en Chambre est parfois mieux informé que le ministre lui-même. Au cours de son intervention, lorsqu'il dévoile une série de faits irréfutables et des détails qui n'ont pas été rendus publics, mais qui sont néanmoins vrais, le ministre aura beau tenter de dissimuler sa surprise, il devra se rendre à l'évidence que c'est alors un à zéro pour son adversaire.

En 2002, c'est ainsi que j'ai obtenu de la ministre de l'Économie et des Finances, Pauline Marois, la démission de Jean-Claude Scraire, PDG de la Caisse de dépôt et placement du Québec. C'était à la suite du cafouillage de Montréal Mode. Trente millions de dollars avaient été engloutis dans cette aventure marquée par le favoritisme et l'amateurisme. Un gaspillage de fonds publics qui avait causé énormément de tort à plusieurs designers de renom, dont Jean-Claude Poitras, qui a pratiquement été acculé à la faillite. Quoi qu'il en soit, avec le recul, je crois qu'il était exagéré d'exiger la tête de Scraire. Lorsque j'ai fait partie du gouvernement, j'ai subi le même traitement de la part des péquistes et des adéquistes.

Je me suis prêtée à ces stratagèmes partisans et détestables, que je voyais comme un mal nécessaire. J'avais saisi que c'était ainsi que je gagnerais des points au jeu de la politique. Je peux dire que la partisanerie, de même que la dynamique de confrontation perpétuelle qui prévaut en politique, a pesé lourd dans la balance lorsque j'ai commencé à penser à tirer ma révérence.

*

À force de voir les élus des partis opposés se déchirer sur la place publique, les gens ont probablement du mal à se représenter la cordialité et parfois la réelle camaraderie qui peuvent les lier une fois la période de questions terminée et les caméras de télévision éteintes.

En fait, davantage que des adversaires, les femmes et les hommes politiques sont des collègues unis par un objectif commun : servir leurs concitoyens. Ils pratiquent le même métier, sont éloignés de leur famille pendant une bonne partie de la semaine. Il y a donc entre eux beaucoup plus d'affinités que l'on pense. Le Québec est tricoté serré. Et je dirais que peu importe le parti, tous les députés sont nationalistes, à des degrés divers.

Un jour, alors que j'étais dans un supermarché à Saint-Donat, où je passe mes fins de semaine, des gens m'ont informée que Gilles Duceppe s'y trouvait aussi. À leurs visages inquiets, j'ai compris qu'ils anticipaient un grave incident diplomatique si la ministre libérale et le chef du Bloc québécois venaient à se croiser. Un peu plus et ils se resserraient autour de moi pour former une haie humaine et me dissimuler ! Je ne leur en ai pas laissé le temps et suis partie à la recherche de Gilles dans les allées. Sous l'œil ébahi des clients, nous nous sommes salués chaleureusement.

Auparavant, il nous était arrivé de nous retrouver aux mêmes événements ou réceptions. Lorsqu'il m'a écrit, dans le cadre de la campagne de financement de la compagnie de théâtre Duceppe, fondée par son père Jean Duceppe, j'ai fait un don avec plaisir. Aux élections fédérales de 2011, quand il a été défait dans sa circonscription, je l'ai appelé pour lui dire que j'étais avec lui en pensée. Il s'agissait d'un échec d'autant plus cuisant pour lui que le Bloc québécois se trouvait pratiquement rayé de la carte. Les politiciens portent leur parti tatoué sur le cœur et il a certainement dû trouver ce moment très pénible. Dans ces circonstances, je tenais à lui témoigner mon soutien.

Pour que Cécile comprenne

À mes débuts comme députée, j'arborais un langage recherché et ampoulé hérité de mon passé de haut fonctionnaire. J'ai vite réalisé que cela me reléguerait dans la catégorie des pas très bons, de ceux qui n'auront jamais d'influence. On me disait que j'avais l'allure d'une grande dame, un peu trop sophistiquée pour l'Assemblée nationale. Or, mon message ne passait pas. Ce fut probablement la période la moins flatteuse de ma carrière.

Le style caractéristique de l'arène politique s'apprend. Mais encore faut-il souhaiter le maîtriser. Au départ, je n'avais pas grande envie d'adopter une attitude qu'au fond de moi-même je méprisais.

On m'avait confié le portefeuille des finances, à titre de critique de l'opposition, face au ministre Bernard Landry. Je suis allée à la dure école ! Bernard Landry est un homme brillant et futé, en plus d'être un politicien chevronné. Ce n'était pas facile d'être son vis-à-vis en Chambre. Je le voyais à l'occasion me regarder de haut – avec raison – et afficher un sourire narquois.

Je me rappelle très bien à quel point j'étais nerveuse lorsque j'ai fait ma première critique du budget. Les règles de l'Assemblée nationale sont claires et rigoureuses. Or, mon plaidoyer, livré avec toute la conviction dont j'étais capable, dépassait le temps alloué. Des voix se sont alors élevées pour m'interrompre, comme le veut la tradition. Contre toute attente, le premier ministre Lucien Bouchard a invité ses députés à me laisser poursuivre. On peut présumer que c'était parce que je ne causais pas beaucoup de tort.

Michel David, un journaliste du quotidien *Le Devoir* dont je lis encore les chroniques presque religieusement, publie un « bulletin » à la fin de chaque session parlementaire, dans lequel il évalue les performances des politiciens. Comme première note, j'avais obtenu un B-, ce que j'avais considéré comme très mauvais, au point d'en être démoralisée. Ce bulletin n'a aucun retentissement auprès du public mais signifie beaucoup pour les collègues du caucus. Aujourd'hui, je réalise que cette note était somme toute bonne et que j'étais trop sévère à mon endroit. Je me suis toujours demandé si Michel David mesurait l'impact que pouvaient avoir ses jugements, qui m'apparaissent par ailleurs souvent erronés. Les politiciens accordent beaucoup trop d'importance à l'opinion des commentateurs, qui n'est pourtant pas prise au pied de la lettre par les citoyens. J'ai constaté à plusieurs occasions que ces derniers n'ont pas besoin qu'on leur dise quoi penser ; ils savent faire la part des choses.

Au tout début de ma vie politique, je pouvais ruminer pendant plusieurs jours un commentaire négatif lu ou entendu à mon sujet. Ce fut le cas lorsqu'un journaliste m'avait traitée de *loose cannon*, après ma célèbre déclaration sur l'eau de Montréal. Je retournais sans fin les propos blessants du journaliste dans mon esprit, y voyant une grande injustice.

J'ai appris à relativiser. Parce que, évidemment, tout cela est très subjectif. Alors qu'un journaliste trouve audacieux les propos que vous avez tenus, un autre déclare au même moment que vous manquez de courage en prenant telle décision. Il m'a fallu quelques années pour m'aguerrir et, à la fin de ma carrière, ce qu'on publiait sur moi me laissait presque indifférente.

Pour avoir l'heure juste, je pouvais compter sur mes vrais amis. Yvon Martin m'a conseillé un jour de me débarrasser de mon ton quelque peu emprunté. Il m'a suggéré de parler comme si je m'adressais à ma mère dans mon salon. À partir de ce moment, j'ai opté pour la simplicité. J'ai fait en sorte que Cécile, ma mère, une femme intelligente qui n'était peut-être pas instruite mais s'intéressait néanmoins à la vie publique, se sente concernée par mon message. Non seulement il fallait trouver les mots justes, mais je devais y mettre du cœur, de la passion et de l'énergie, sans oublier la franchise.

Car, en définitive, je ne travaillais pas pour les journalistes, ni pour l'élite intellectuelle ou le milieu des affaires, mais bien pour l'ensemble des citoyens, dont la plupart ne passent pas leurs journées à décortiquer l'actualité et à soupeser tous les articles savants écrits sur un sujet. L'art de la politique consiste à persuader les gens que ce qu'on leur propose est dans l'intérêt général, si ce n'est dans leur intérêt particulier. Alors que les politiciens sont appelés à se pencher sur les grands enjeux de société, les contribuables cherchent plutôt des solutions concrètes aux problèmes qu'ils rencontrent dans leur vie de tous les jours. C'est pour régler des questions très pratiques qu'ils élisent leurs députés. Étant une femme pragmatique, j'étais à l'aise avec cette façon terre à terre de faire de la politique, même si l'administration d'un État exige de prendre des décisions souvent bien éloignées du quotidien des gens.

Lorsque je me suis mise à dire ce que je pensais sans ambages, j'ai pu constater que les citoyens aimaient qu'on leur parle en toute franchise. Je me plaisais à dire que j'étais bêtement franche et franchement bête. Je préférais soit me taire, soit dire la vérité, même si cela pouvait me causer des ennuis, comme ce fut le cas à quelques reprises.

Mes expressions imagées, qui traduisaient honnêtement ma pensée, sont devenues en quelque sorte ma marque de commerce. Je constate pratiquement chaque jour que les gens les ont gardées en mémoire, que l'on pense par exemple à ma fameuse « sacoche » de présidente du Conseil du trésor et de ministre des Finances, qui symbolisait ma rigueur dans la gestion des deniers publics. Elle a fait si grande impression qu'encore aujourd'hui certains médias me présentent comme Madame Sacoche et que tout le monde comprend qu'il s'agit de moi, même ceux qui ont oublié mon nom.

L'un de mes sacs à main – vide, précisons-le – s'est vendu 5 000 dollars dans une vente aux enchères au profit de la Guignolée des médias. C'est le Dr Gaétan Barrette qui l'a acquis. Maintenant qu'il est aux commandes de l'un des ministères les plus importants, j'espère que cette sage sacoche l'inspirera afin de modérer les ardeurs des fédérations de médecins.

Et que dire du fameux « syndrome de la pépine », que j'ai inventé pour rendre compte de la propension des hommes à vouloir commencer un projet de construction avant même que les plans soient finalisés ? Après mon départ de l'Assemblée nationale, Jean-René Dufort, l'animateur de l'émission *Infoman*, à la télé de la Société Radio-Canada, m'a offert une broche en forme de pépine que je conserve précieusement. Il m'avait interviewée à quelques reprises et s'était copieusement moqué de moi. Sous des dehors d'humoriste, Jean-René Dufort est un journaliste doté d'une grande connaissance du monde politique.

*

C'est après ma deuxième élection, alors que le Parti libéral prenait le pouvoir et que j'ai été nommée ministre, que je me suis vraiment permis d'imposer mon style. Comme présidente du Conseil du trésor et ministre responsable de l'administration gouvernementale, j'avais le mandat de renouveler les conventions collectives des cinq cent mille employés de la fonction publique et parapublique. En 2005, la négociation de ces conventions allait me donner l'occasion de casser certains moules et de faire les choses à ma façon.

J'avais pris une décision que je résumais ainsi : « Je ne me cacherai pas, je serai même en avant de la parade. » Jusque-là, seuls les représentants syndicaux avaient l'habitude d'utiliser les médias pour faire connaître leurs revendications. Or, comme j'avais la responsabilité des fonds publics, j'estimais qu'il était de mon devoir de présenter à la population la position du gouvernement.

J'ai été très présente dans les médias, principalement à la télévision. J'ai martelé mon message aux Québécois pratiquement tous les jours : « Cet argent, c'est le vôtre, et je me dois d'en faire une utilisation judicieuse. » Les travailleurs se rendent au boulot chaque matin et travaillent la moitié de leur journée pour le gouvernement, puisqu'ils contribuent en moyenne aux impôts et taxes à hauteur de presque 50 % de leurs revenus. Je leur promettais de m'occuper des finances publiques avec beaucoup de considération. Si je veux m'acheter des chaussures à 300 dollars, ça ne regarde que moi. Mais quand j'ai la responsabilité d'administrer l'argent des autres, chaque sou compte. Je peux me targuer d'avoir été d'une rigueur et d'une intransigeance sans faille à cet égard.

Si la partie syndicale tenait une conférence de presse à 10 heures, j'en faisais une à 11 heures. Les représentants syndicaux n'appréciaient pas du tout cette nouvelle approche et me le faisaient savoir. Henri Massé, le président de la Fédération des travailleurs et travailleuses du Québec (FTQ), m'a un jour interpellée, dans la langue truffée de jurons qu'il affectionnait, pour me rappeler les règles du jeu : il ne fallait pas porter la négociation sur la place publique. Or, les négociations sont un rapport de force, et la partie syndicale ne s'est jamais gênée pour faire connaître à la population le bien-fondé de ses revendications. Je lui ai répondu que je suivais la seule règle en laquelle je croyais : la transparence.

De plus, j'avais pris publiquement l'engagement de régler le dossier de l'équité salariale, qui traînait en longueur depuis des décennies. Je suis une féministe de la première heure, et cette loi qui rétablissait une certaine justice pour les femmes me tenait particulièrement à cœur. Or, sans que l'on sache exactement combien à ce moment-là, beaucoup d'argent était en jeu. Il me fallait en tenir compte dans la négociation collective, puisque chaque point d'augmentation de salaire consenti aux employés de l'État représentait 250 millions de dollars. On n'imprime pas d'argent au Conseil du trésor, comme je le répétais alors *ad nauseam.*

J'ai défendu âprement la position du gouvernement de maintenir à 12,6 % l'augmentation globale de la masse salariale sur une période de six ans, y compris les majorations salariales découlant de la mise en œuvre éventuelle de la Loi sur l'équité salariale. Je n'ai jamais dévié de mon objectif.

J'ai eu à l'époque cette formule, rapportée dans les journaux, qui résumait bien ce que je pensais des propositions et contre-propositions du front commun syndical : « Ils m'ont demandé la Lune et la planète Mars. Puis ils ont demandé seulement la Lune. Maintenant, je leur demande de revenir sur Terre. » Réjean Parent, président de la Centrale des syndicats du Québec (CSQ), a rétorqué : « J'ose croire que les astres vont s'aligner sur le même axe, pour reprendre l'allégorie de la présidente du Conseil du trésor. »

L'équité salariale est devenue une épée de Damoclès au-dessus de ma tête pendant ces négociations. Claudette Carbonneau, alors présidente de la Confédération des syndicats nationaux (CSN), m'a accusée de semer la discorde en finançant l'équité sur le dos des hommes. Il ne s'agissait pas d'opposer les hommes aux femmes. Mais l'argent sortait de la même « sacoche ». Comment aurais-je pu cacher à la population mon intention de prévoir les sommes nécessaires pour régler l'équité salariale ? Je ne pouvais pas mentir de la sorte. On m'a traitée de *cheap* et de dure. On a lancé des œufs sur ma propriété, à la campagne. Au cours de l'année 2005, partout où j'allais pour prendre la parole, un bruyant comité m'accueillait en signe de protestation. Dans ce contexte, il m'était impossible d'entrer par la porte principale, ce qui fait que j'ai visité les cuisines – des lieux fort intéressants – de plusieurs hôtels dans tout le Québec.

J'avais la conviction d'avoir raison et il n'était pas question que je plie devant ces stratégies. Des représentants syndicaux ont même tenté de me museler, ce qui a finalement joué en ma faveur. Je devais prendre la parole devant des gens d'affaires, lors d'un événement organisé par le Cercle canadien de Montréal. Je venais à peine de commencer mon allocution sur les partenariats public-privé lorsqu'une trentaine d'hommes se sont levés pour m'interrompre. Ils ont bruyamment réclamé le règlement du dossier de l'équité salariale et des négociations du secteur public en lançant des coups de sifflet. Ils avaient payé leur billet pour accéder à la salle et faire passer leur message. Habillés en veston-cravate, ils étaient passés inaperçus. Ils se sont avancés vers moi et m'ont regardée droit dans les yeux. Affolés, mon personnel de cabinet et des participants à l'événement se sont levés pour s'interposer entre eux et moi. J'aurais peut-être dû avoir peur, mais ce n'était pas le cas. Je suis demeurée très calme et leur ai demandé s'ils me laisseraient parler. Ils ont répondu non, alors je les ai écartés pour me frayer un chemin et quitter la salle, sous les applaudissements de l'assistance.

Les représentants syndicaux ont le droit de manifester, mais pas d'empêcher les gens de parler. Le lendemain, les journaux publiaient mon allocution en s'insurgeant contre cette tentative d'intimidation. Ce discours que je n'ai pas prononcé fut donc mon discours le plus percutant !

Au cours de ma carrière politique, je suis montée au créneau sans hésitation quand il le fallait. Je considérais que cela faisait partie de mon travail. D'ailleurs, je n'ai que du mépris pour les leaders qui se défilent dès que s'élève la tempête.

Les négociations se sont soldées par une loi spéciale, ce qu'un gouvernement ne fait jamais de gaieté de cœur. Les syndicats ont porté la cause devant la Commission des relations du travail, qui m'a blâmée dans sa décision rendue en 2012, concluant que j'avais négocié de mauvaise foi en incluant l'équité salariale dans la proposition globale du gouvernement. Or, une instance plus haute, la Cour supérieure du Québec, a révisé cette décision en ma faveur quelques mois plus tard. La juge Claudine Roy a considéré que le cadre budgétaire proposé par le gouvernement était raisonnable et justifié, et que dans ce contexte la fermeté de ma position ne constituait pas une preuve de mauvaise foi.

Je pense sincèrement que la population était majoritairement d'accord avec ma démarche. Ce cycle de négociations et le règlement de l'équité salariale ont constitué un moment fort de ma carrière politique. Contrairement à ce qu'on pourrait penser, je garde un excellent souvenir des représentants syndicaux avec qui j'ai négocié, pour qui j'éprouve une grande admiration. Je ne manque jamais de souligner la contribution de Claudette Carbonneau au règlement du dossier de l'équité salariale et je considère Réjean Parent comme un ami.

Les vertus du rire

J'ai toujours adoré rire. Dans toutes les équipes avec lesquelles j'ai travaillé, les joueurs de tours captaient vite que j'étais un bon public. Mes collègues politiciens savaient que sous des dehors sérieux j'étais une femme enjouée qui aimait avoir du plaisir, même si cela impliquait que je sois la cible des taquineries.

Claude Béchard ne manquait jamais une occasion d'amuser la galerie à mes dépens. Connaissant mon enthousiasme pour le projet de salle de concert de l'Orchestre symphonique de Montréal, il m'a proposé de la construire en bois rond, prêchant ainsi pour sa paroisse, puisqu'il était ministre des Ressources naturelles et de la Faune.

Jacques Dupuis, qui est lui aussi doté d'un remarquable sens de l'humour, m'a un jour lancé un commentaire hilarant juste au moment où je m'apprêtais à répondre à une question en Chambre. Je riais tellement qu'un collègue a dû répondre à ma place. D'ailleurs, l'assemblée au complet croulait de rire.

Laurent Lessard s'avère un redoutable conteur de blagues qui m'a souvent fait rire aux larmes. Et le grand public ignore probablement que Jean Charest est un homme très drôle. Il ne se privait pas de mettre à profit son talent pour l'imitation lorsqu'il voulait détendre l'atmosphère, au Conseil des ministres.

*

Tout le monde sait que le renouvellement des conventions collectives du secteur public représente un exercice périlleux plus proche du bras de fer que de la partie de plaisir. Or, même dans un contexte aussi tendu, j'ai constaté que l'humour avait son utilité.

Vers la mi-novembre 2005, alors que les discussions étaient dans l'impasse, j'ai déclaré en point de presse que je souhaitais vivement voir survenir un dénouement avant les fêtes. Pour stimuler les troupes, en fixant une date butoir, j'ai ajouté qu'il fallait que tout soit réglé avant la dinde de Noël.

Mon attachée de presse, Véronique Mercier, se doutait bien que les journalistes se feraient un plaisir de commenter mes propos, et pas nécessairement à mon avantage. Elle s'attendait à voir dans les journaux du lendemain une caricature de moi en « dinde pas de tête », ce qui ne se fit pas attendre. D'ailleurs, ma déclaration a inspiré tous les caricaturistes pendant plusieurs jours.

Au début de décembre 2005, nous étions en plein blitz de négociation avec les syndicats. Quelle ne fut pas ma surprise de voir apparaître un beau jour, à la fenêtre de mon bureau, une énorme tête jaune, celle d'une dinde gonflable! Pour qu'on saisisse bien à quel point l'apparition était invraisemblable, je dois préciser que mon bureau se trouvait au quatrième étage. En érigeant cette dinde haute de plusieurs mètres devant mon bureau, les syndiqués voulaient, semble-t-il, réitérer cette volonté de conclure avant les fêtes. J'ai trouvé ce coup d'éclat très drôle et positif. Contrairement à mon personnel, j'étais ravie, car le message avait passé. Évidemment, cette dinde géante s'est retrouvée dans les journaux et à la télévision.

Durant la même période, j'ai reçu des dindes congelées à mon bureau, que mon personnel remettait aux foyers pour personnes âgées de ma circonscription. On en a même livré une vivante, qui courait, affolée, dans les corridors. Que fait-on avec une dinde, en plein centre-ville de Montréal? C'est mon personnel qui se retrouvait obligé de gérer au mieux ces situations inusitées que j'avais créées bien involontairement.

Cultiver son sens de l'humour permet certainement d'alléger les tensions inhérentes à la vie politique. Et savoir rire de soi s'avère indéniablement un atout.

Quand j'ai voulu me lancer en politique, ma sœur Jocelyne m'a invitée à y penser à deux fois avant de faire le saut. Elle trouvait ce milieu particulièrement impitoyable, et la perspective que je sois l'objet de critiques et de moqueries la rendait folle, disait-elle.

Or, l'idée de refuser de vivre cette aventure par peur de ce que l'on penserait ou dirait de moi ne m'a jamais effleuré l'esprit. Il n'est vraiment pas dans mon tempérament de m'arrêter à ce genre de considérations. De plus, non seulement je ne me formalise pas qu'on se moque de moi, mais au contraire cela m'amuse. Mes propres enfants ne s'en sont jamais privés, voyant bien que j'en riais de bon cœur avec eux. J'estime que si on ne vaut pas une risée, on ne vaut pas grand-chose.

Les femmes de ma génération ont été entraînées à craindre le jugement d'autrui. Mais cette attitude freine nos élans en nous incitant à rester dans notre zone de confort plutôt que d'accepter de relever des défis qui nous exposeraient aux critiques. Je souhaite que les jeunes femmes ne soient pas aux prises avec ce que j'appelle le syndrome de la bonne fille.

Pour ma part, je n'ai jamais aspiré à être une femme modèle. Je connais mes défauts, je les assume, et je me montre telle que je suis. Étant audacieuse – certains diront fonceuse –, je n'ai pas eu peur de prendre des risques et d'occuper des postes normalement réservés aux hommes. Ce faisant, j'ai commis mon lot d'erreurs et de gaffes. Je n'éprouve aucune difficulté à le reconnaître.

Tâcher de ne pas se prendre trop au sérieux figurerait en tête de liste des conseils que je donnerais à ceux et à celles qui sont tentés par une carrière politique. Si vous devenez ministre, je peux vous assurer que vous serez critiqué(e), moqué(e), caricaturé(e). Et alors? Ça ne fait mal nulle part, sauf à l'ego. Et je sais de quoi je parle, car on peut dire que j'ai été gâtée par les caricaturistes! D'ailleurs, certains m'ont avoué après ma retraite qu'ils regrettaient mon départ, car j'étais une cible facile. Ma tête et mes propos se prêtaient au jeu. Et j'ai bien dit «jeu».

Par définition, une caricature n'est jamais flatteuse: nez trop fort, double menton, rides, collier de perles surdimensionné. Avec cette exagération, en quelques traits de crayon vos caractéristiques sont exposées de manière qu'on vous reconnaisse au premier coup d'œil. Des centaines de caricatures de moi ont été publiées, toutes plus cocasses les unes que les autres.

Ma sœur, qui s'est finalement faite à l'idée que je sois une personnalité publique dont on puisse se payer la tête à l'occasion, m'a offert un jour l'un des plus beaux cadeaux que j'aie reçus: des sous-verres et sous-plats confectionnés à partir de mes caricatures laquées. Cette collection des plus originales met beaucoup d'ambiance dans mes réceptions: mes convives se les échangent, se plaisent à les commenter et tout le monde rigole autour de la table.

J'admire énormément le mordant des caricaturistes et ce talent qu'ils ont pour croquer sur le vif un physique, une personnalité, un événement de l'actualité. L'une de mes caricatures préférées, signée Garnotte, me montre affublée d'un immense toupet qui me cache entièrement les yeux, avec la mention: «Monique Jérôme-Forget, femme de vision.» Brandissant un peigne dans la main droite, j'affirme: «C'est moi qui passe le fonctionnement de l'État au peigne fin!» C'est vrai qu'à l'époque où j'avais cette coupe de cheveux, une mèche me descendait un peu trop bas sur les yeux. D'ailleurs, plusieurs personnes ont téléphoné à mon bureau pour demander qu'on me passe le message de me couper le toupet!

J'ai aussi apparemment été un sujet inspirant pour Marc Labrèche, qui m'a imitée à plusieurs reprises à son émission *3 600 secondes d'extase*. Ses imitations étaient si ressemblantes que la première fois que mon personnel de cabinet m'en a fait visionner une, j'ai cru pendant quelques secondes que c'était moi ! Vêtu d'un tailleur, portant une perruque blonde et roulant allègrement les *r*, je dois dire qu'il personnifiait une Monique Jérôme-Forget très convaincante.

Son talent est indéniable, mais un de ses sketches ne m'a pas fait rire du tout, et je le lui ai fait savoir sans détour.

Il m'avait imitée, une flûte de champagne à la main, et de l'autre jetant des croustilles à des « pauvres » qui les mangeaient à mes pieds. J'ai téléphoné à Marc pour l'informer que cela m'avait indisposée qu'on me montre en train de traiter les gens de la sorte. Je lui ai dit : « Tu l'ignores peut-être, Marc, mais je viens d'un milieu modeste. Je suis très consciente qu'aujourd'hui je fais partie des mieux nantis, ce qui ne m'empêche pas d'avoir énormément de respect pour les gens qui vivent dans la pauvreté. Je ne peux pas accepter de me faire dépeindre comme une femme aussi ignoble. »

Marc Labrèche s'est montré réceptif au bout du fil. Il m'a dit que pour sa part il trouvait le sketch drôle, mais qu'il s'excusait de m'avoir offensée. Il m'a assuré qu'il ferait le nécessaire pour qu'il ne soit plus diffusé, une promesse dont il a eu la délicatesse de s'acquitter.

LA COLLÈGUE

Entrevue avec Jean Charest

«Ma relation avec Monique a été une histoire d'amour.»

Je suis reconnaissante à Jean Charest d'entrer sans ambages dans le vif du sujet. Un peu plus tôt, tandis que je patientais dans cette salle de conférences du cabinet d'avocats McCarthy Tétrault, à Montréal, auquel s'est joint M. Charest après son retrait de la vie politique, on était venu me prévenir que nous disposerions de moins de temps que prévu.

D'un simple regard, nous nous comprenons : inutile de perdre de précieuses minutes à essayer de dissiper les malentendus que pourrait soulever le mot «amour». J'avais saisi que cet homme rompu à l'habitude de peser ses paroles employait délibérément cette expression percutante pour exprimer le caractère exceptionnel de leur collaboration, fondée sur une compatibilité de leurs personnalités, un profond respect mutuel et une communauté de pensée.

Le rendez-vous avait dû être reporté à deux reprises, et je m'estimais chanceuse d'obtenir enfin un entretien avec cet homme à l'emploi du temps très chargé, mais qui tenait à offrir son témoignage sur celle avec qui il avait travaillé étroitement pendant plus d'une décennie. Par courriel, il s'était montré enthousiaste quant à l'intérêt que représentait ce livre. Nul doute pour lui que le parcours de cette Québécoise parvenue au sommet puisse être source d'inspiration pour les jeunes femmes en quête de modèles.

Leur première rencontre remonte au milieu des années 1990. Jean Charest était alors chef du Parti progressiste-conservateur du Canada, qu'il essayait de rebâtir après la débâcle des élections fédérales de 1993. « Monique, alors présidente de l'Institut de recherche en politiques publiques, était venue faire une présentation sur le taux d'imposition unique dans le cadre d'un colloque de notre parti. Elle avait accepté mon invitation sans autre intention que de rendre service à quelqu'un de désespéré », se souvient-il.

Puis Jean Charest est passé à la politique provinciale en 1998, alors qu'il était nommé chef du Parti libéral du Québec, le 30 avril. Dans l'effervescence préélectorale, le parti recrutait activement de nouveaux candidats. « Nous avions identifié Monique Jérôme-Forget comme une candidate d'envergure. Elle a accepté alors que le premier ministre Lucien Bouchard était très populaire et que le Parti québécois avait de bonnes chances d'être reporté au pouvoir. J'ai trouvé admirable qu'elle s'engage avec la même intensité que si les circonstances avaient été plus favorables à l'élection de notre parti.

« Pour son premier mandat dans l'opposition, j'ai été agréablement surpris de voir à quel point elle s'est bien intégrée au caucus et comment elle a participé à la vie de groupe. Son ouverture a également beaucoup impressionné ses collègues, qui la voyaient comme une vedette. Ils ont découvert une femme accessible et chaleureuse. »

Jean Charest me confirme que lorsque le Parti libéral a pris le pouvoir et qu'elle est devenue présidente du Conseil du trésor, des collègues ont pu la trouver intimidante. « Monique occupait une fonction de premier plan. Elle dégage une autorité naturelle et possède cette assurance, cette capacité de maintenir le cap même si cela ne fait pas l'affaire de tous. Elle incarnait la discipline, et certains la craignaient, effectivement. Elle a géré des dossiers difficiles et n'aurait pu obtenir les résultats qu'elle a eus si elle avait été quelqu'un qui plie au gré du vent. Elle donnait beaucoup de crédibilité au gouvernement et a instauré une grande rigueur dans la gestion des affaires de l'État. »

Jean Charest souligne qu'elle était aussi reconnue comme une femme forte hors de l'Assemblée nationale. « Une merveilleuse caricature illustre cette perception. C'était en 2006, juste avant l'entrée en vigueur de la loi interdisant l'usage du tabac dans les endroits publics. Un représentant de l'industrie des bars avait annoncé dans les médias qu'il allait "brasser" Monique Jérôme-Forget. Or, elle ne s'en est pas laissé imposer et est allée de l'avant comme prévu avec cette loi. La caricature représente l'homme, tête première dans un cendrier, écrasé comme un mégot, sous les yeux d'une présidente du Conseil du trésor triomphante. »

La connivence entre la présidente du Conseil du trésor et le premier ministre s'est encore accrue lorsque ce dernier l'a nommée ministre des Finances. « C'est sûr qu'en cumulant ces deux fonctions elle en menait large au Conseil des ministres ! La relation qui existe entre le premier ministre et le ministre des Finances n'est pas une relation ordinaire. Ces deux personnes doivent être en mesure d'avoir de vraies discussions afin d'aller au fond des choses. Pour certains dossiers, Monique et moi étions du même avis, mais nous étions aussi parfois en désaccord. Je pouvais toujours compter sur sa grande franchise. Elle me disait souvent : "Monsieur le premier ministre, je vais vous dire quelque chose que vous ne voulez pas entendre, mais je vais vous le dire quand même." »

On reconnaît à Jean Charest d'avoir été un chef de parti et un premier ministre sensible à la question de la représentation des femmes en politique. « C'est bien d'avoir cette conviction, mais encore faut-il poser des gestes concrets lorsqu'on est en position de le faire. En 1998, j'ai choisi de présenter des candidates féminines dans des comtés où elles avaient des chances de l'emporter, ce qui m'a d'ailleurs été reproché. Par la suite, lorsque j'ai formé mes cabinets ministériels, j'ai nommé des femmes à des ministères stratégiques. »

En quoi les politiciennes sont-elles différentes de leurs confrères ? L'ex-premier ministre répond sans hésitation. « Elles se montrent plus loyales, n'ont pas de visées personnelles comme peuvent en avoir les hommes. Elles sont plus perfectionnistes, et la dimension humaine de la politique les préoccupe davantage. La dynamique change complètement quand les femmes sont plus nombreuses. »

Ayant appris par Monique que Jean Charest se plaisait à faire des imitations, je lui demande s'il voudrait bien imiter madame la ministre pour moi. Contre toute attente, il change sa voix et s'exécute sans se faire prier : « Là, les p'tits gars, vous allez m'arrêter ça ! » Il éclate de rire et précise : « C'est ainsi qu'elle rappelait ses collègues ministres à l'ordre quand elle trouvait qu'ils s'égaraient d'une manière ou d'une autre. »

Il insiste pour dire que son estime pour Monique Jérôme-Forget dépassait le strict cadre professionnel. « Un soir où je dînais à Québec avec ma fille cadette, Alexandra, je l'ai invitée à se joindre à nous. De toutes mes collègues féminines, mon choix s'était porté sur Monique. J'ai beaucoup d'affection pour elle. »

On frappe à la porte. Mme Torikian, l'adjointe exécutive de M. Charest, vient l'informer que le temps est écoulé. Je risque une dernière question. J'aimerais savoir ce qui lui a le plus manqué de Monique après son départ. « Son originalité, sa couleur. On n'est pas près d'oublier sa fameuse sacoche et le syndrome de la pépine ! »

En m'accompagnant jusqu'à l'ascenseur, il ajoute : « Je vois justement Monique ce soir, au bal de son musée. » Il s'agit du bal annuel du Musée McCord, dont Monique est la présidente du conseil d'administration. Vient-il d'avoir une vision d'elle en robe longue, parée de ses plus beaux bijoux ? Car c'est sur ces mots lancés spontanément qu'il conclut notre échange : « En plus, elle est belle, Monique, n'est-ce pas ? »

À l'âge de six ans.

Ma photo d'élève du Collège Basile-Moreau
à Montréal, un collège classique pour filles
tenu par les Sœurs de Sainte-Croix.

Le jour de notre mariage, le 25 mars 1960. J'avais dix-neuf ans.

Lors de notre voyage de noces à Paris.

Ma mère est venue passer quelques semaines à Londres en 1962,
après la naissance de Nicolas, son premier petit-fils.

Avec mes enfants, Nicolas et Élise (Montréal, 1967).

À la collation des grades de l'Université McGill en juin 1977,
pour la remise de mon doctorat en psychologie.

Avec ma sœur Jocelyne, en 1980, juste avant qu'elle parte vivre en Europe.

En 1981, en compagnie de Pierre Elliott Trudeau, premier ministre du Canada.
Je venais de prononcer une conférence à un colloque du Parti libéral du Canada,
à titre de directrice des services professionnels du CLSC Métro.

Lors d'un voyage en Inde en 1998, en compagnie de femmes et d'enfants.

Avec Ghislain Dufour et Louis Laberge, pendant mon mandat de PDG
de la CSST (1986-1989).

À titre de PDG de la CSST, j'ai acquis une connaissance intime des conditions de travail dans tous les milieux, qui m'a été fort utile lorsque je suis devenue présidente du Conseil du trésor. Ici, dans une mine d'or.

Voyage en Turquie avec ma grande amie Carmen Robinson (1993).

Lors de ma première élection, en 1998, j'ai dit publiquement à Claude
à quel point il comptait pour moi.

(Crédit photo : Marcel Rochon)

11

À l'Assemblée nationale, pendant mon second
mandat de députée de Marguerite-Bourgeoys. J'ai
représenté cette circonscription avec beaucoup de
fierté de 1998 à 2009.

Avec Jean Charest, premier ministre du Québec
(2003-2012), à qui je dois ma carrière politique.

Luciana Evangelista, mon indispensable attachée politique, presque devenue mon double dans ma circonscription.

Huit des neuf femmes du premier conseil des ministres paritaire de l'histoire du Québec (2007), dont j'ai eu le bonheur de faire partie. À ma droite : Line Beauchamp et Yolande James ; à la gauche de Jean Charest : Monique Gagnon-Tremblay, Christine St-Pierre, Michelle Courchesne, Marguerite Blais et Nathalie Normandeau. Julie Boulet est absente de la photo.

Claude et moi avons eu la chance de faire ensemble pratiquement le tour du monde. En Égypte (2010).

En compagnie de Kent Nagano, à notre maison de campagne (2013).

Je revois avec plaisir Véronique Mercier, mon ancienne chef de cabinet.
Chez moi à Montréal, en décembre 2014.

Avec Brigitte à Mérida, en mars 2014.

Partie IV

Madame la ministre

Le poison du doute

Durant toute ma carrière, j'ai proposé des promotions à des femmes que j'estimais aptes à relever un nouveau défi. À mon grand désarroi, j'ai constaté que ces femmes talentueuses doutaient tant d'elles-mêmes qu'elles hésitaient longuement avant d'accepter, ou parfois refusaient.

Elles me disaient qu'elles ne se jugeaient pas prêtes, amplifiaient les qualifications qui leur manquaient, alors qu'elles en possédaient bon nombre d'autres. Je leur répondais : « J'ai des petites nouvelles pour toi : tu es prête. Archiprête. » Elles ne se voyaient pas comme je les voyais, objectivement. Le poison du doute s'était insinué en elles. Je devais parfois user de tout mon pouvoir de persuasion pour venir à bout de leurs résistances, et heureusement, dans la majorité des cas, elles acceptaient finalement ces postes qu'elles méritaient amplement.

Je pense que douter de nos capacités fait partie de notre ADN. D'ailleurs, même avec une expérience et des compétences moindres, je n'ai jamais vu un homme tourner le dos à une promotion. Ce n'est pas dans leur ADN.

Bien sûr, en parlant d'ADN je prends un raccourci, car il s'agit bien davantage d'un conditionnement social. Dans notre société patriarcale, les hommes ont encore et toujours les coudées franches, tandis que les femmes se voient assigner des postes de moindre envergure. On nous a élevées en nous inculquant l'idée qu'il fallait être modestes. On nous a fait croire que nous n'avions pas la même valeur que les hommes. Bien que l'égalité des sexes soit aujourd'hui reconnue dans notre pays, le patriarcat a abîmé l'estime de soi des femmes. Dans ce contexte peu favorable, qui eût cru qu'en 2013 cinq femmes occuperaient des postes de premières ministres au Canada? Gloria Steinem, une activiste et auteure américaine qui a suscité l'admiration des femmes de plusieurs générations, a affirmé qu'une révolution mettait un siècle à s'ancrer dans les mentalités. Ce sera le cas de la révolution féministe.

J'ai moi-même connu des épisodes de doute fort déstabilisants, alors que j'avais pourtant une longue feuille de route à mon actif.

L'un d'eux remonte à avril 2003. Les libéraux venaient d'être portés au pouvoir et j'avais été réélue dans mon comté de Marguerite-Bourgeoys. J'avais passé plus de quatre années dans l'opposition à apprendre mon métier de députée et le fonctionnement de l'appareil gouvernemental du Québec. Ayant travaillé dans la haute fonction publique fédérale et provinciale, j'avais une solide connaissance de l'administration et des politiques publiques. À soixante-trois ans, j'étais en pleine possession de mes moyens et me sentais apte à devenir ministre. J'avais hâte de recevoir l'appel du premier ministre, ce coup de fil magique qui vous mène au pouvoir.

Lorsque Jean Charest m'avait approchée pour faire partie de son équipe, quelques années plus tôt, il m'avait laissé entendre que je ferais partie de son gouvernement. Mais je savais bien que ses propos ne constituaient pas une promesse. Le premier ministre doit prendre plusieurs éléments en considération lorsqu'il compose son cabinet ministériel, de sorte que rien n'est sûr avant l'annonce officielle.

L'attente du coup de fil m'a paru durer une éternité. Chaque journée qui passait accroissait mon inquiétude. Dix jours s'étaient écoulés depuis l'élection, et il me sembla que les jeux étaient faits. Mon mari avait beau essayer de me rassurer en me disant qu'il s'agissait de délais normaux, j'envisageais le pire des scénarios : j'avais été mise de côté. J'étais très déçue de la tournure des événements, d'autant plus qu'aucun des journalistes de la colline parlementaire ne m'avait considérée dans ses prévisions, et cela même si j'avais été critique de l'opposition en matière de finances dans ce qu'on appelle le cabinet fantôme, face au coriace Bernard Landry. Tout au plus Michel David m'avait-il pressentie comme présidente de l'Assemblée nationale, une fonction que je n'aurais jamais eu la patience d'exercer.

Puis le téléphone a sonné. Le premier ministre voulait me voir et je devais me rendre à l'hôtel Sheraton, à Montréal, dans le plus grand secret. Quelqu'un m'attendrait dans le hall. Je m'y suis rendue à l'heure convenue et l'on m'a conduite dans une suite où se trouvaient Jean Charest et Michel Crête, son chef de cabinet.

Je me suis assise face à eux. D'entrée de jeu, j'ai dit au premier ministre que j'avais impatiemment attendu son appel et que j'avais fini par croire qu'il m'avait oubliée. Sincèrement étonné, il a rétorqué : « Croyais-tu vraiment que tu ne serais pas nommée ministre ? » Cet homme, qui avait grande confiance dans les compétences des femmes, qui composerait le premier cabinet ministériel paritaire, ignorait probablement à quel point les femmes peuvent douter de leur valeur.

C'est alors qu'il m'a offert la présidence du Conseil du trésor. Il a ajouté que ses conseillers avaient été unanimes à me voir à la tête de ce ministère – celui, justement, que je voulais. Je garderai toujours le souvenir de cet entretien qui a changé le cours de ma vie.

Pendant la campagne électorale, j'avais glissé discrètement dans la poche du veston de Jean Charest un bout de papier où j'avais écrit : Trésor. Avait-il compris que ce billet était de ma main ? Il avait peut-être cru qu'il se faisait courtiser par quelqu'un dans la salle !

J'avais donc obtenu le ministère que je convoitais. J'étais au comble de la joie à l'aube d'une magnifique aventure.

*

Les moments qui précèdent l'assermentation des ministres sont dignes d'un film de James Bond.

D'abord, il faut montrer patte blanche. On m'a emmenée dans une pièce où se trouvait Daniel Johnson, qui m'a interrogée sur mon passé. Avais-je payé tous mes impôts ? Avais-je un dossier criminel ? Des poursuites étaient-elles intentées contre moi ? Comme je suis une personne sans histoire, je n'avais absolument rien de ce genre à déclarer. Je suis ensuite allée à un autre étage, où j'ai reçu des consignes, dont celle de me rendre à Québec dans un hôtel dont nous ne devions pas divulguer le nom. C'est à ce moment seulement que j'ai connu la composition du Conseil des ministres.

On nous a conduits à l'Assemblée nationale dans un autocar aux vitres teintées. Afin d'éviter la horde de journalistes aux aguets, nous avons emprunté un passage souterrain, qui n'est plus utilisé aujourd'hui mais qui avait été creusé durant le premier mandat de Robert Bourassa, dans la foulée de la crise d'octobre 1970, afin d'assurer sa sécurité.

Comme le veut la tradition, la cérémonie de l'assermentation a eu lieu dans le prestigieux Salon rouge. Je me rappelle l'émotion qui m'a envahie lorsque j'ai entendu le greffier appeler mon nom, tout de suite après la vice-première ministre, Monique Gagnon-Tremblay. Puis on nous a assigné notre garde du corps et chauffeur, notre place à l'Assemblée nationale, de même que celle que nous occuperions autour de la table du Conseil des ministres. C'était bien la première fois que je prenais part à une cérémonie aussi solennelle. J'étais tout simplement éblouie.

Mon mari Claude, mon fils Nicolas et sa femme, de même que mon amie Carmen Robinson se trouvaient parmi le public. Ma fille Élise a pu voir la cérémonie sur Internet depuis New York, où elle résidait. Par la suite, elle m'a accompagnée dans mes activités de ministre pendant une semaine et a suivi avec grand intérêt une séance du Conseil du trésor. Ma sœur Jocelyne était présente lors de la commission parlementaire sur la création de l'Agence des partenariats public-privé, alors que je faisais face à beaucoup d'opposition. Mes trois petits-enfants, Zoé, Louis et William, étaient à Québec pour la présentation de mon second budget. J'étais très émue qu'ils assistent à cet événement si important dans ma carrière. Je pense qu'ils étaient fascinés de voir leur nana sous les feux de la rampe. Ils avaient été impressionnés le jour où un hélicoptère était venu me cueillir à Saint-Donat pour m'emmener à une réunion d'urgence à Magog. Je dois dire que je l'étais autant qu'eux !

Mes proches ont été à mes côtés à chacun de ces moments forts. Ma vie politique n'a pas été un long fleuve tranquille et je me trouve choyée d'avoir une famille qui m'apportait la stabilité émotive dont j'avais besoin.

Mon baptême du feu : la gaffe de l'eau

Au début de ma carrière politique, les journalistes m'intimidaient, m'effrayaient presque. Le monde des médias m'était totalement étranger. Je ne savais rien de l'avidité des journalistes pour la nouvelle à tout prix.

Ma première conférence de presse fut un désastre. J'ai trébuché de façon monumentale devant des vautours qui n'attendaient rien d'autre que de saisir cette pièce de résistance.

J'étais alors présidente du Conseil du trésor et ministre responsable de la région de Montréal. Dans le cadre d'un conseil général du Parti libéral du Québec, à Laval, j'ai affirmé devant les journalistes que l'eau de Montréal ne répondait pas aux normes de qualité internationales les plus strictes.

La question de la qualité de l'eau n'était pas le cœur de mon propos. J'avais fait appel à cet exemple pour illustrer les conflits d'intérêts qui pouvaient survenir lorsque le gouvernement doit à la fois assumer la prestation d'un service et en assurer la qualité. J'ai tenté d'expliquer qu'il risque alors d'y avoir un manque de transparence dans l'information transmise à la population. L'année précédente, la commission d'enquête sur l'eau potable contaminée à Walkerton avait vigoureusement blâmé le gouvernement ontarien. La tragédie avait fait sept morts et des milliers de malades.

Les journalistes se sont donc jetés sur ma déclaration malencontreuse et toutes les questions ont porté là-dessus. J'avais dès lors perdu le contrôle de ma conférence de presse. J'ai tenté de faire marche arrière et de nuancer mes propos en disant que j'avais surtout voulu souligner l'état lamentable du réseau d'aqueducs de Montréal et la nécessité d'investir dans ces infrastructures. Mais c'était peine perdue.

J'ai quitté la salle fort mécontente de ma prestation et je n'étais pas la seule. Thomas Mulcair, le ministre de l'Environnement, s'est précipité vers moi, furieux. Il me reprochait – avec raison – de m'être mêlée d'un dossier qui relevait de ses compétences.

Peu de temps après, j'ai reçu un appel de Jean Charest m'avisant qu'il allait devoir démentir mes propos, qui avaient affolé beaucoup de monde, y compris le maire de Montréal, Gérald Tremblay. Le premier ministre a dû déclarer publiquement que la qualité de l'eau de Montréal, comme ailleurs au Québec, était acceptable. Lui-même et le maire de Montréal ont bu un grand verre d'eau devant les caméras de télévision.

Gaffe, bourde, pots cassés… Les journalistes s'en sont donné à cœur joie pour qualifier mon faux pas. Tout un baptême du feu pour moi ! J'ai dû me rendre à l'évidence que je m'étais lancée dans cette conférence de presse sans préparation adéquate. J'avais eu ma leçon, à la dure.

Quelques jours plus tard, au Conseil des ministres, avec une note d'humour, Thomas Mulcair m'a offert une bouteille d'eau. Cela m'a fait sourire. C'était la meilleure façon de conclure cette histoire sans rancune. Nous nous sommes toujours bien entendus par la suite.

En politique, il faut avoir la modestie de reconnaître ses erreurs. À l'occasion, je rappelais aux journalistes ma gaffe de l'eau. Ils paraissaient étonnés de voir que c'était moi qui ressortais cet épisode peu reluisant, alors qu'un autre politicien aurait tout fait pour faire oublier sa bévue.

Je ne suis jamais tombée dans le panneau de me prendre au sérieux, d'avoir la grosse tête parce que j'étais ministre, comme j'ai vu certains le faire. Être ministre au Québec, ce n'est pas être le président des États-Unis ou de la France, ni la chancelière d'Allemagne. Soyons réalistes. Et, surtout, conservons notre sens de l'humour et de l'autodérision en toutes circonstances.

*

Par la suite, avant de me présenter devant les médias, je réunissais quelques personnes maîtrisant bien le dossier, qui me bombardaient de questions selon tous les angles d'attaque possibles, me préparant ainsi à recevoir les questions pièges. Les journalistes sont friands des erreurs des politiciens. Ils cherchent la controverse et, s'ils la trouvent, ils l'exploitent à fond. Afin de publier un papier qui sera remarqué, ils n'hésitent pas à déformer les propos ou à exagérer un détail, comme ce fut le cas pour ma déclaration sur l'eau.

J'ai instauré dès le départ un climat d'ouverture au sein de mon cabinet, où toutes les opinions pouvaient être exprimées. Je répétais : « Si vous pensez et dites toujours comme moi, je n'ai pas besoin de vous. » Cette directive a passablement dérouté ceux qui avaient plutôt appris à flatter les ministres, mais tous ceux et celles qui ont fait partie de ma garde rapprochée ont apprécié ce climat de travail.

J'encourageais mes conseillers à faire preuve de la plus grande franchise, y compris sur ce qu'ils considéraient comme des erreurs de ma part. J'écoutais leurs arguments et, chaque fois, j'apprenais quelque chose qui me servait ultérieurement. L'avis de Véronique Mercier, mon attachée de presse et par la suite ma chef de cabinet, m'était très précieux. Elle n'avait pas trente ans quand elle a commencé à travailler pour moi. Or, malgré son jeune âge, Véronique était déjà dotée d'un jugement sûr, en plus d'être brillante et de connaître à fond la politique. J'ai également beaucoup apprécié Jean-Sébastien Lamoureux, qui avait été mon chef de cabinet avant Véronique. Son sens de l'humour contribuait à faire de mon cabinet un endroit où il faisait bon travailler. Les professionnels dévoués qui ont travaillé avec moi ont exercé une grande influence sur ma carrière politique.

En 2013, j'ai figuré au palmarès des dix femmes d'influence établi par *La Presse*. Chacune de nous devait nommer une femme de la relève ayant le potentiel de jouer un rôle de premier plan dans notre société. J'ai choisi Véronique Mercier. C'est l'une des retombées de ma notoriété qui me rend le plus heureuse : avoir la possibilité de braquer les projecteurs sur une jeune femme de talent et contribuer ainsi à l'évolution de sa carrière.

*

J'ai donc travaillé à améliorer ma façon de livrer mes messages aux médias. Il s'agit d'un aspect crucial du travail de ministre, parce que ce sont les journalistes qui relaient l'information aux contribuables. Il faut donc apprendre à les utiliser, si je peux m'exprimer ainsi. J'ai compris rapidement que le principe du donnant-donnant prévalait. Ils avaient besoin de nouvelles à diffuser, tandis que j'avais besoin d'eux pour communiquer mes idées. L'objectif était de tirer le meilleur parti de ce « mariage forcé ».

Avec le temps, j'ai appris à connaître ces hommes et ces femmes, et j'ai établi avec eux des relations professionnelles cordiales. Ce sont toujours les mêmes journalistes qui couvrent les activités de l'Assemblée nationale et ils finissent par faire partie de la grande famille politique. J'admirais leur capacité à remplir jour après jour une page blanche, à produire à l'intérieur de courts délais un texte capable de susciter l'intérêt des lecteurs.

Je me suis toutefois questionnée sur leur propension à imiter leurs congénères, dans leur quête incessante de la nouvelle. « Comment se fait-il, ai-je demandé à l'un d'eux, que vous publiiez presque toujours la même chose tous en chœur ? » Il m'a expliqué que leurs patrons leur feraient des reproches s'ils laissaient passer un événement, même mineur, que les médias concurrents auraient décidé de couvrir, voire de monter en épingle.

Lors de la conférence de presse où j'ai annoncé mon départ, je les avais tous réunis devant moi pour une dernière fois. Je mettais fin à la plus belle décennie de ma vie professionnelle et j'étais très émue. Ils l'ont certainement senti. Je leur ai dit que je m'ennuierais d'eux et que j'étais certaine qu'eux aussi s'ennuieraient de moi!

Voici ce qu'a dit le journaliste Pierre Duchesne, de la Société Radio-Canada, dans son reportage sur mon départ: «Elle était colorée, déterminée et authentique. Le départ de Monique Jérôme-Forget sur la colline parlementaire sera remarqué. Femme de tête, elle savait défendre ses dossiers et utiliser des formules-chocs qui frappaient l'imagination.»

Cela m'a touchée. En seulement quelques mots, il avait su décrire la femme politique que j'avais été.

La Dame de fer

« Madame la présidente du Conseil du trésor, vous serez l'architecte du renouvellement de l'État québécois. Vous piloterez la révision de tous les ministères et organismes publics, ainsi que des programmes qu'ils administrent. Vous superviserez la création d'un véritable gouvernement en ligne. Cela représente un défi majeur. »

C'est ainsi que le premier ministre a présenté la mission qui m'attendait, dans son allocution, à l'assermentation des ministres suivant l'élection de 2003. Jean Charest me connaissait très bien et savait que c'était à ce poste que mon pragmatisme et ma rigueur seraient les plus utiles.

La présidence du Conseil du trésor s'avère la fonction la plus importante, après celle de premier ministre. Le Conseil du trésor est en quelque sorte le grand patron du gouvernement. Avant qu'un projet ne parvienne au Conseil des ministres, à moins d'une exception, il doit recevoir l'approbation du Conseil du trésor.

Or, pour le public, la fonction de ministre des Finances paraît plus prestigieuse, notamment parce que ce dernier mobilise toute l'attention lors de la présentation du budget, caractérisée par une grande fébrilité.

Tout ce qui entoure le budget fait l'objet d'une importante surveillance. Le dépôt du budget est en effet frappé du secret budgétaire, une tradition du système parlementaire britannique visant à éviter que certaines personnes prennent connaissance avant tout le monde de son contenu et puissent tirer avantage de cette information stratégique. Il s'agit d'une règle non écrite, mais prise très au sérieux par les gouvernements. Le ministre des Finances peut même être obligé de démissionner en cas de fuite.

Durant la période budgétaire, plusieurs agents de la Sûreté du Québec gardent les bureaux du ministère des Finances. Les documents budgétaires sont imprimés sur du papier crypté, afin de les rendre impossibles à télécopier ou à numériser, et sont envoyés au ministère des Finances sous escorte policière.

Le jour J, tout se déroule à huis clos. Les journalistes et analystes ont accès à l'information quelques heures avant le discours du budget, à condition de respecter l'embargo et d'accepter de rester dans une salle placée sous bonne garde, sans aucun contact avec l'extérieur. Autour de 16 heures, le ministre des Finances prononce son discours du budget à l'Assemblée nationale.

J'ai toujours été impressionnée par la rapidité avec laquelle les journalistes émettent leur opinion sur le budget. Ils débusquent les lacunes et les répétitions, jugent dérisoires des annonces que le gouvernement considérait de la plus haute importance.

Le président du Conseil du trésor participe au discours du budget en présentant la partie qui le concerne, c'est-à-dire le budget des dépenses, mais les médias n'ont d'yeux que pour le ministre des Finances. Lorsque j'ai livré aux médias pour la première fois le budget des dépenses à titre de présidente du Conseil du trésor, le journaliste Michel C. Auger m'a dit qu'il me verrait bien devenir ministre des Finances. C'était la première fois qu'un journaliste me pressentait pour cette fonction, que j'occuperais effectivement quelques années plus tard. Traditionnellement, le ministre des Finances est un homme, et il semble encore difficile de remettre cette convention en question. Nous avons été seulement trois femmes à occuper ce poste au gouvernement du Québec : Monique Gagnon-Tremblay, Pauline Marois et moi. J'ai assumé la présidence du Conseil du trésor pendant presque sept années d'affilée, dont deux concomitamment avec le ministère des Finances.

Lorsque je suis entrée la première fois dans mon bureau de présidente du Conseil du trésor, j'ai lu un mot déposé sur ma table de travail : « La personne qui occupera ce pupitre aura de grands défis et beaucoup de plaisir. » C'était signé par mon prédécesseur, Joseph Facal, du Parti québécois. J'ai été touchée qu'il ait pris le temps de m'écrire et je l'ai appelé pour l'en remercier. Je me suis souvenue de cette attention et, lorsque Stéphane Bédard, du Parti québécois, est devenu président du Conseil du trésor en 2012, je lui ai téléphoné et nous nous sommes rencontrés.

Le Conseil du trésor est un comité permanent du Conseil des ministres formé de cinq ministres, qui se réunit une fois par semaine. Il reçoit les ministres ayant un mémoire à présenter. Au début, mes collègues se sont montrés étonnés que je me donne la peine de lire avec attention les documents qu'ils me soumettaient. Je trouvais cela très important. Je prenais connaissance de tout. Je me levais à 5 h 30, le matin, et je lisais jusqu'à 7 h 30. Je passais également plusieurs heures par semaine dans ma limousine de ministre, notamment pour mes déplacements entre Montréal et Québec, un moment de tranquillité dont je profitais pour étudier les documents.

Je tenais à connaître les tenants et aboutissants des problèmes que mes collègues ministres tentaient de résoudre dans leur champ de compétence respectif. Par exemple, lorsque Laurent Lessard, alors ministre de l'Agriculture, des Pêcheries et de l'Alimentation, nous a soumis un projet de loi sur la cueillette des petits fruits, il s'était imaginé que personne ne lui poserait de questions sur le sujet. Or, j'avais lu son projet et nous en avons discuté en profondeur. Il m'a dit et redit à quel point il avait été surpris par mon intérêt et mon enthousiasme.

Le Conseil du trésor a également la responsabilité d'évaluer les effets négatifs des initiatives gouvernementales. Pour chaque décision, certaines personnes seront avantagées, d'autres perdront au change. Lors de la présentation d'un dossier, j'exigeais que les fonctionnaires qui y avaient travaillé de près soient présents dans la salle, et pas seulement le ministre et le sous-ministre. Je voulais qu'ils entendent nos questions et commentaires. Les plus jeunes de ces fonctionnaires étaient visiblement impressionnés lorsqu'ils devaient prendre la parole afin d'apporter une précision. Je trouvais cependant formateur qu'ils participent au processus de façon active. Si un mémoire était bâclé ou incomplet, je demandais aux responsables de retourner faire leurs devoirs. Le Conseil du trésor est le chien de garde du gouvernement. Il doit y régner une grande discipline.

Mes collègues savaient que je n'avais aucune tolérance pour la petite politique. Apparemment, certains se présentaient au Conseil du trésor à reculons. L'un d'eux avait confié au premier ministre qu'il avait peur de moi. Ce dernier lui avait répondu : « Ne t'en fais pas, moi aussi j'ai peur d'elle ! » Bien sûr, Jean Charest disait cela à la blague. Je sais qu'il appréciait ma fermeté. Sachant que je veillais au grain, il pouvait dormir sur ses deux oreilles.

Je tenais bien serrés les cordons de la bourse, ou plutôt les ganses de la sacoche. J'étais allergique à toute forme de gaspillage. Dans cette catégorie, l'exemple le plus frappant reste pour moi celui des subventions à l'industrie hippique. Accorder des millions pour la prise en charge des enfants ayant des difficultés d'apprentissage : certainement. Mais pour des courses de chevaux qui n'intéressaient plus grand monde ? Je trouvais cela tout simplement aberrant. Depuis les années 1990, le gouvernement avait injecté plus de 400 millions de dollars pour maintenir artificiellement en vie cette industrie. Cela ne faisait pas partie des missions essentielles de l'État. Nous avions besoin de cet argent pour financer des projets autrement plus importants.

Le personnel du Conseil du trésor m'avait déconseillé de toucher à ce dossier. Personne n'avait réussi, jusque-là, à mettre au pas les hommes de chevaux, comme on les appelait, qui avaient la réputation d'être très déterminés. Il faut dire qu'ils avaient le soutien de politiciens influents, notamment Bernard Landry et Pierre Paradis. J'ai ignoré les mises en garde. Avec l'appui du premier ministre, j'ai aboli ces subventions et nous avons mis en place un plan destiné à privatiser les quatre hippodromes du Québec. Cette industrie moribonde n'a pas survécu à la privatisation.

Mon attitude m'a valu d'être qualifiée de Dame de fer, en référence à l'ex-première ministre britannique Margaret Thatcher. J'ignore qui a commencé à m'appeler ainsi, mais chose certaine, ce surnom m'est resté. Est-ce que cela m'importunait? La réponse est non. Je n'ai aucun problème avec les étiquettes si elles me servent dans l'accomplissement de mon travail. Le fait d'être perçue comme une Dame de fer me conférait l'autorité pour prendre des décisions.

Je suis consciente que Mme Thatcher a été une personnalité fort controversée, mais j'admire néanmoins ce qu'elle a fait pour son pays. J'estime qu'elle a sauvé la Grande-Bretagne, car c'était épouvantable, dans ce pays, à l'époque où elle a pris le pouvoir. On souligne souvent la dureté et l'intransigeance de Mme Thatcher, qui étaient bien réelles, mais il ne faudrait pas non plus la démoniser. Est-elle allée parfois trop loin, insensible aux critiques et à la grogne populaire? Peut-être. Notamment avec l'instauration de la *poll tax*. Elle n'a pas su non plus quand céder sa place, de sorte qu'elle s'est fait jeter dehors par son parti.

Un jour, mon amie Michèle Bazin m'a invitée à déjeuner pour me dire que cette comparaison projetait une image très négative de moi et qu'il fallait faire quelque chose pour changer cela. Ses propos m'ont ébranlée, d'autant plus que Michèle est une éminente spécialiste des communications. Or, mon instinct me disait que cette étiquette me convenait tout à fait, compte tenu du rôle que je devais jouer au sein du gouvernement. Margaret Thatcher savait dire non et je partageais cela avec elle. En tant que présidente du Conseil du trésor, je devais prendre des décisions qui ne plaisaient pas à tous. Lorsque je tranchais, c'était accepté par mes collègues parce qu'ils me percevaient comme une femme forte.

Par ailleurs, si elle frappe l'imagination, une comparaison comme celle-là s'avère évidemment toujours réductrice. J'ai souvent dit oui. Les ministres de la Culture se souviendront certainement de mon appui sans équivoque non seulement au maintien de leur budget, mais à son augmentation. Bon an mal an, la culture, pourtant vitale pour notre société, se voit octroyer seulement autour de 1 % du budget de l'État. Il s'agit d'un secteur souffrant de sous-financement chronique, mais que j'ai fait tout ce qui était en mon pouvoir pour soutenir.

J'entretenais d'excellents rapports avec la plupart de mes collègues. Quand le Conseil du trésor prenait une décision difficile qui aurait un impact sur leur ministère, je les en informais et leur expliquais les raisons qui l'avaient motivée. Ils savaient aussi que je prêterais une oreille attentive à leurs besoins si un événement hors de leur contrôle survenait et qu'ils avaient besoin de fonds additionnels. Le Conseil du trésor doit être à l'écoute des ministres et savoir s'adapter aux situations.

Je gardais des réserves secrètes, sachant que nous aurions besoin de sommes additionnelles à la fin de l'exercice financier. Les imprévus et les dépassements de coûts se produisent sous toutes les administrations, aussi rigoureuses soient-elles. Je les cachais à tous, y compris au premier ministre. Il se doutait bien que je faisais des réserves, mais même lui devait avancer des arguments solides pour me convaincre d'ouvrir ma « sacoche », ce qu'il a réussi à plusieurs reprises. En fait, très conscient de l'importance d'un contrôle strict des dépenses, il n'intervenait auprès de moi qu'en cas de nécessité.

Le syndrome de la pépine

À mon arrivée au Conseil du trésor, j'ai été renversée de constater l'amateurisme avec lequel les budgets des projets de travaux publics étaient évalués. Le ministère des Transports nous a un jour proposé la construction de quatre routes importantes. Malgré mon inexpérience dans le domaine de la construction de routes, en utilisant une simple règle de trois basée sur les coûts de projets similaires construits ailleurs dans la province, il m'a sauté aux yeux qu'ils étaient nettement sous-évalués.

Les politiciens, tous partis confondus, adorent faire des annonces et couper des rubans. Afin de faire accepter leur projet au Conseil des ministres et au premier ministre, tant le ministre que les fonctionnaires n'hésitent pas à en sous-estimer le budget. Cette pratique courante fait inévitablement gonfler la facture en cours de projet. En fin de compte, ce sont les contribuables qui paient la note.

Au Conseil du trésor, nous subissions énormément de pression pour que commencent les travaux sans que nous ayons pris le temps de bien évaluer les besoins du projet, d'en déterminer les impacts, les coûts et la façon la plus efficace de le réaliser. J'ai nommé «syndrome de la pépine» cet empressement – principalement masculin – à creuser. Plusieurs fois, j'ai refusé de donner mon aval à des projets que je trouvais mal ficelés ou dont les plans n'étaient pas finalisés. Un collègue député m'en a gardé rancune. Il a tout tenté pour me faire changer d'idée, y compris se plaindre auprès du premier ministre. Lorsqu'il a quitté la politique, il n'est pas venu me saluer à son départ de l'Assemblée nationale.

Cette culture de «l'à-peu-près» me fatiguait beaucoup, tout comme elle irritait le personnel du Conseil du trésor. À l'instigation de Luc Meunier, le secrétaire du Conseil du trésor, pour qui j'avais la plus grande estime, j'ai commandé une étude afin d'avoir un portrait clair de la situation. Elle a révélé et documenté les nombreux problèmes consécutifs à la planification déficiente des chantiers de travaux publics. Les conclusions étaient sans équivoque : nous devions changer nos façons de procéder.

La Grande-Bretagne était chef de file en matière de partenariats public-privé (PPP). Ce pays avait recours à cette approche avec beaucoup de succès depuis le début des années 1990. Au printemps 2004, des fonctionnaires britanniques sont venus à Québec présenter au Conseil du trésor les ententes en PPP menées dans différents domaines. À l'automne, avec une délégation du Conseil du trésor et du ministère des Transports, nous avons étudié ce concept plus en profondeur au cours d'une mission d'une semaine à Londres. Nous avons visité des hôpitaux, des écoles, des immeubles de bureaux et des routes construits en PPP.

Je suis revenue convaincue par ce que j'avais vu et appris là-bas. Par exemple, ma curiosité avait été piquée par l'épaisseur inhabituelle d'un plancher de bois qu'on s'apprêtait à installer. Un ingénieur m'avait expliqué que le consortium qui réalisait le projet était responsable de l'entretien des infrastructures pendant trente-cinq ans, ce qui favorisait le choix de matériaux durables. Cela m'avait complètement séduite.

Dans le cadre des PPP, la rigueur qui préside à l'évaluation des projets et le processus de décision très strict s'avèrent d'excellents remèdes au syndrome de la pépine. Avant même la première pelletée de terre, chaque volet doit faire l'objet d'une analyse extrêmement poussée, où l'on prend en considération l'opinion des futurs utilisateurs.

Comme présidente du Conseil du trésor et ministre responsable des infrastructures, j'étais persuadée – et je le suis toujours – qu'avec cette approche les contribuables en avaient pour leur argent. De plus, la formation de sous-comités composés de personnes de différents horizons qui prennent part au processus offre des garanties de transparence et d'intégrité. Je souligne également que l'Agence des PPP désignait un vérificateur de processus qui s'assurait que le projet était exécuté dans le respect des règles de fonctionnement et d'éthique.

Je suis devenue l'ambassadrice des PPP au sein du gouvernement Charest. Mon ardeur à défendre cette formule m'a été reprochée. On m'a qualifiée de doctrinaire lorsque je l'ai imposée aux ministères de la Santé et des Transports. J'ai réussi à convaincre Philippe Couillard, alors ministre de la Santé, d'abord très réfractaire à cette approche, mais qui en est devenu un ardent défenseur. Le premier ministre Jean Charest y a cru autant que moi et m'a totalement appuyée, jusqu'à ce que l'opposition, qui se manifestait de toutes parts, devienne trop forte.

Précisons que je n'avais pas inventé les PPP au Québec. Guy Chevrette, ministre des Transports dans le gouvernement du Parti québécois, avait privilégié ce type de partenariat pour la construction de la route 25 et du pont qui la relie à Montréal.

Les partis de l'opposition, les syndicats et certains médias ont réussi à signer l'arrêt de mort des PPP. Les centrales syndicales étaient de farouches détractrices, peut-être à cause du mot « privé ». Or, les projets en mode traditionnel font également appel au secteur privé, bien que selon d'autres modalités. Aucun projet d'envergure n'est réalisé par le personnel de la fonction publique.

Les firmes d'ingénieurs et d'architectes n'y étaient pas non plus favorables. Elles se sont mobilisées et ont fait pression sur le gouvernement afin qu'il fasse marche arrière. On peut comprendre les ingénieurs, qui se voyaient imposer la gestion d'une part des risques. De leur côté, les architectes voyaient d'un mauvais œil le fait d'être soumis à des contraintes budgétaires. Ces professionnels préféraient l'approche traditionnelle, qui leur laissait la latitude de déterminer les coûts et de demander des « extras » en cours de projet, c'est-à-dire l'injection de sommes supplémentaires.

Après mon départ, en avril 2009, Monique Gagnon-Tremblay, qui avait hérité du dossier des infrastructures que je pilotais, a congédié Pierre Lefebvre et Pierre Lortie, les deux personnes clés que j'avais nommées à l'Agence des PPP. Pierre Lortie était l'homme de la situation pour faire le suivi des projets des deux grands hôpitaux universitaires et de leurs centres de recherche. Il suffit de visiter le Centre de recherche du CHUM, dont tous sont enchantés, pour se rendre compte de la qualité de la construction et des matériaux utilisés.

Malgré ma profonde conviction de leur pertinence et mes efforts pour les promouvoir, je n'ai jamais réussi à faire comprendre aux médias le bien-fondé des PPP, alors que la population les approuvait totalement, selon ce que montraient les sondages. Les détracteurs avaient réussi à occuper pratiquement tout l'espace médiatique. Encore aujourd'hui, il ne fait aucun doute dans mon esprit que les PPP représentent la solution idéale pour les grands chantiers de travaux publics. Je trouve dommage que le Québec soit resté aveugle aux avantages de cette formule, qui est utilisée avec succès dans le monde.

Avec le recul, je réalise que ce qui m'a le plus attristée, c'est d'avoir cru – et clamé haut et fort – que les PPP permettaient de prévenir la corruption. Comme tout le monde, j'ai été choquée par la fraude alléguée au Centre universitaire de santé McGill (CUSM) lorsque celle-ci a été mise au jour. Les journalistes ne se sont alors pas gênés pour ressortir mes propos concernant ma foi dans le caractère anticorruption des PPP.

Personne ne mettait en doute l'intégrité du Dr Arthur Porter, le directeur général du CUSM. Il avait été nommé président du Comité de surveillance des activités de renseignement de sécurité (CSARS) par le premier ministre du Canada Stephen Harper, ce qui suppose que la GRC avait enquêté sur lui. On vantait de toutes parts son professionnalisme et son efficacité. Je l'ai rencontré à plusieurs reprises et il m'avait grandement impressionnée. C'était un homme charmant, qui administrait l'hôpital avec beaucoup de talent et de doigté.

Je pense que, sans les remparts que procurait le mode PPP, la fraude aurait pu être plus importante encore. D'ailleurs, avant de se rallier à ce mode, le Dr Porter affichait une préférence marquée pour la construction de l'hôpital en mode traditionnel et tentait vigoureusement d'imposer ses vues. Toute la lumière n'a pas encore été faite. Mais quels mécanismes peuvent nous prémunir contre des dirigeants à l'éthique élastique ? Certains seront traduits devant les tribunaux. L'avenir nous éclairera sur les failles du système.

Seule une minorité de chantiers au Québec ont été menés en PPP. Il ne faudrait pas sous-estimer la fraude et la corruption qui ont eu cours dans les projets de travaux publics réalisés en mode traditionnel.

Il serait dommage que les déboires du super hôpital anglophone jettent de l'ombre sur la grande majorité des PPP, qui se sont révélés de francs succès : la Maison symphonique, l'Institut de recherche du CHUM, le CHUM, les autoroutes 25 et 30. Tous ces projets furent réalisés selon les délais prévus, en respectant les coûts, sans surprises. Pour les seules autoroutes 25 et 30, le Québec a économisé 1 milliard de dollars. Et si l'on avait opté pour un PPP dans le cas de l'échangeur Turcot, il serait déjà terminé, et à un coût bien inférieur aux 3 milliards de dollars prévus.

Une autre des raisons pour lesquelles j'ai défendu les PPP est que le contrat stipule que l'entretien sera assuré par le consortium qui remporte l'appel d'offres, normalement pour une période de trente-cinq ans. Lorsque le gouvernement se retrouve seul à entretenir notre patrimoine, la négligence prévaut pratiquement toujours. Il est beaucoup moins « payant » politiquement pour les élus d'annoncer des budgets d'entretien plutôt que de nouveaux projets de construction. Voilà pourquoi tout se détériore. Le Québec se retrouve avec un réseau routier en piètre état, des hôpitaux qui nous donnent l'impression d'être dans un pays sous-développé, des toits d'école qui prennent l'eau.

J'ai toujours trouvé cette situation inacceptable. À vrai dire, j'avais honte de nos infrastructures délabrées. Dès le début de mon mandat au Conseil du trésor, j'ai prévu des sommes d'argent pour l'entretien de nos infrastructures. Mais Luc Meunier, le secrétaire du Conseil du trésor, m'a plutôt convaincue de mettre en place un vaste programme sur l'ensemble du territoire du Québec. Le triste événement de l'effondrement du viaduc de la Concorde, à Laval, a précipité les choses, et nous avons mis les bouchées doubles afin de corriger la négligence du passé. J'ai déposé le projet de loi favorisant la gestion rigoureuse des infrastructures publiques et des grands projets, imposant aux politiciens de consacrer 80 % du budget des infrastructures à la rénovation de celles qui existaient déjà, et cela pendant quinze ans. C'était le moyen le plus efficace qu'on avait trouvé, au Conseil du trésor, pour obliger les politiciens à effectuer le sérieux rattrapage qui s'imposait.

On a souvent mentionné que la dette du Québec s'était accrue à cause du programme d'infrastructures. Mais le problème, c'était plutôt de les avoir négligées pendant si longtemps. Si vous n'entretenez pas votre maison pendant quarante ans, ne soyez pas surpris que le toit et les fenêtres ne soient plus étanches.

LA PATRONNE

Entrevue avec Luc Meunier

Luc Meunier a travaillé en étroite collaboration avec la présidente du Conseil du trésor Monique Jérôme-Forget, à titre de secrétaire du Conseil du trésor, en d'autres mots le sous-ministre pour ce ministère. Il est aujourd'hui PDG de la Société québécoise des infrastructures, laquelle est issue de la fusion de la Société immobilière du Québec et d'Infrastructure Québec, l'organisme qui a remplacé l'Agence des partenariats public-privé. Nous nous rencontrons dans les bureaux montréalais de la société parapublique.

Ce haut fonctionnaire de carrière considère Monique Jérôme-Forget comme la crème des politiciens. « Elle s'est lancée en politique pour faire progresser les dossiers auxquels elle croyait, uniquement dans la perspective de servir l'intérêt public. Pour un haut fonctionnaire, c'est extrêmement stimulant. »

Il la décrit comme une femme d'une grande liberté d'esprit, qui accueillait favorablement les positions différentes des siennes. « Une fois franchie la première étape pour gagner sa confiance, vous découvrez qu'elle est d'une grande simplicité. Elle disait souvent: "On va se dire les vraies affaires." Je n'ai pas retrouvé une pareille proximité et un tel climat de franchise par la suite dans ma vie professionnelle. On entend parfois dire que les femmes au pouvoir incarnent seulement des qualités dites masculines. Ce n'était pas son cas. Elle est la personnalité politique la plus chaleureuse que j'aie côtoyée, hommes et femmes confondus. Elle avait pour ses collaborateurs de délicates attentions que je n'ai vu aucun ministre homme avoir. »

Luc Meunier poursuit : « Ce qui m'a le plus enchanté, c'est qu'elle soit une femme de vision et de convictions, doublée d'une femme d'action. Elle défendait toujours ses convictions avec pragmatisme. C'est beau d'avoir des idéaux, mais un ministre ne doit pas rester seul sur son nuage. Il doit prendre des décisions au jour le jour, donner des orientations. »

Je souhaite connaître son opinion sur l'étiquette de Dame de fer qui a collé à la peau de la ministre. « L'analogie avec Mme Thatcher avait un certain fondement. Mme Jérôme-Forget pouvait se montrer dure et certains craignaient ses réactions. Par exemple, elle n'avait aucune tolérance pour la politicaillerie. Si un ministre tenait à un projet qui n'avait pas beaucoup de sens dans le but de se faire aimer de certaines clientèles, elle le confrontait sans ambages. J'ai assisté à quelques échanges corsés et, parfois, je fondais sur ma chaise ! Mais je dois dire que la plupart du temps elle avait raison. »

Il souligne une autre caractéristique de Monique Jérôme-Forget, peu commune dans le milieu politique. « Elle n'est pas partisane à outrance. Un jour, une personnalité de Québec – que je ne nommerai pas – est venue la rencontrer. Ils ne se connaissaient pas et l'homme lui a fait un *high five* en entrant dans son bureau. Elle l'a regardé avec une telle froideur ! Étant libéral, il avait cru pouvoir d'emblée se montrer très familier, mais il s'était trompé royalement. À une autre occasion, elle s'est trouvée par hasard en présence de Louis Bernard, l'ancien chef de cabinet de René Lévesque. Tout le monde retenait son souffle en se demandant comment elle réagirait. Elle lui a fait une affectueuse accolade et s'est mise à jaser avec lui. Ils s'étaient connus à l'époque où il étudiait à la London School of Economics avec M. Forget. Cela m'avait beaucoup surpris. Pour Mme Jérôme-Forget, c'est la qualité des individus qui prime. »

Je demande à Luc Meunier de me parler d'une facette de la ministre méconnue du grand public. « Je dirais son estime pour les fonctionnaires et sa volonté de valoriser leur travail. Cela allait à contre-courant, à ce moment-là, et c'est encore le cas. On peut l'admirer pour cela. Tout en étant néolibérale et en voyant le secteur privé comme le moteur de l'économie, elle estimait fondamental que le Québec se dote d'un secteur public dynamique, capable d'attirer dans ses rangs les meilleurs éléments. Elle trouvait désastreux les préjugés qui circulent sur les fonctionnaires. Le secteur public joue un rôle essentiel dans l'économie ; l'ingénieur qui s'assure que les plans sont justes, le surveillant de chantier : ce sont des fonctionnaires qui peuvent faire économiser pas mal d'argent à l'État !

« Cela peut paraître contradictoire, poursuit-il, puisqu'elle a dirigé la réingénierie de l'État, une démarche que beaucoup de gens associent d'emblée aux coupes de personnel. Je pense qu'elle n'a jamais envisagé cette modernisation comme une opération de coupures ou de compressions. Sa philosophie consistait plutôt à se demander : quels programmes le Québec peut-il se payer et comment parvenir à livrer le plus efficacement possible les services à la population ? Il s'agit d'un débat de société. »

En revenant sur ces années, Luc Meunier fait le bilan suivant : « Quel combat de tous les instants elle a mené ! La résistance au changement était forte, même à l'interne. Le premier ministre Charest l'a toujours appuyée, mais certains parmi ses collègues ministres, ainsi que des personnes clés à d'autres niveaux de l'appareil d'État, ont laissé entendre officiellement qu'ils étaient derrière elle, ce qui dans les faits n'était pas le cas. J'aurais été découragé, à sa place. Si j'ai un regret, concernant sa carrière, c'est qu'elle n'ait pas été soutenue comme elle l'aurait mérité dans les grands dossiers qu'elle a portés sur ses épaules. »

Il évoque également les partenariats public-privé, qui ont exigé beaucoup de combativité de sa part. « En créant l'Agence des PPP, Mme Jérôme-Forget a doté le Québec d'une expertise qui n'existait pas ici auparavant. Elle tenait à ce que ce type de contrat, qui offre de grands avantages pour assurer la pérennité des actifs, fasse partie de notre coffre à outils. Il y a peut-être des choses qu'on aurait pu mieux faire, mais il y a toujours une courbe d'apprentissage, avec toute nouvelle façon de procéder. Encore là, elle s'est butée à énormément d'opposition : les ordres professionnels des architectes et des ingénieurs, de même que les constructeurs, qui redoutaient la concurrence étrangère. On a démonisé les PPP, et je n'arrive toujours pas à comprendre pourquoi. Cette formule est utilisée aux États-Unis et partout en Europe. »

Selon Luc Meunier, Monique Jérôme-Forget a fait son travail d'élue et de ministre avec passion. Il conclut : « Si l'on veut se donner un autre genre de gouvernance dans l'avenir, avoir des politiciens qui mettent leur talent et leur expérience au service de la population, elle représente un beau modèle. »

Trois femmes et une loi

À elle seule, la mise en œuvre de la Loi sur l'équité salariale dans la fonction publique aurait justifié mon engagement en politique.

À la fin des années 1970, j'avais été vice-présidente de la Fédération des femmes du Québec et je connaissais bien ce dossier qui me tenait particulièrement à cœur. Je l'avais défendu aux côtés de Monique Bégin et de Réjane Laberge-Cola, qui allaient devenir respectivement ministre à Ottawa et première femme nommée juge à une cour supérieure au Canada.

J'ai bien connu cette époque, pas si lointaine, où tous les emplois à prédominance féminine étaient systématiquement moins bien rémunérés. Nous vivions dans un monde moins mécanisé et très peu informatisé, qui valorisait la force physique. Le secteur des services était moins développé qu'aujourd'hui et l'on payait mieux les gens qui s'occupaient des biens que ceux qui s'occupaient des personnes, comme les enseignantes, les infirmières et les secrétaires.

Les Québécoises étaient principalement des ménagères, comme on disait alors. Elles s'occupaient des soins aux enfants et des tâches domestiques, sans être payées, ce qui les plaçait en situation de dépendance à l'égard de leur mari. Le salaire de celles qui étaient sur le marché du travail était considéré comme un revenu d'appoint. Lorsqu'une entreprise devait faire des mises à pied, c'étaient les femmes qui écopaient, puisque l'on préservait en priorité les emplois des hommes, les chefs de famille.

L'injustice envers les femmes était systémique. Des féministes ont lutté pendant trente ans pour faire reconnaître le principe du salaire égal pour un travail égal, puis celui du salaire égal pour un travail équivalent. Ce dernier va encore plus loin en reconnaissant que, au sein d'une entreprise, les emplois traditionnellement occupés par les femmes ont la même valeur que ceux qui sont traditionnellement occupés par les hommes, bien qu'ils soient différents. Ainsi, une secrétaire doit recevoir la même rémunération que son collègue soudeur.

Au sommet de la pyramide, nous sommes principalement trois femmes à revendiquer la maternité de l'équité salariale : Louise Harel, ex-ministre d'État de l'Emploi et de la Solidarité, Claudette Carbonneau, ex-présidente de la Confédération des syndicats nationaux, et moi, ex-présidente du Conseil du trésor.

La Loi 35 sur l'équité salariale, pilotée par la ministre Louise Harel du gouvernement du Parti québécois, a été adoptée par l'Assemblée nationale le 21 novembre 1996. Le Parti libéral l'avait appuyée. Les employeurs des secteurs privé et public disposaient d'un délai de neuf ans pour s'y conformer.

Rappelons-nous que pour recevoir l'appui de son caucus et du Conseil des ministres, qui était divisé sur cette question, Louise Harel avait dû affirmer qu'en tant qu'employeur le gouvernement ne serait pas visé par l'équité. Pour les employés de l'État, le gouvernement avait prévu mettre en œuvre le programme de relativité salariale, qu'il estimait suffisant. Or, la Cour supérieure en a décidé autrement : le gouvernement, à titre d'employeur, ne pouvait pas se soustraire à la loi qu'il avait promulguée.

Lorsque je suis devenue présidente du Conseil du trésor, en 2003, la date butoir pour réaliser l'équité salariale dans la fonction publique approchait. Je trouvais que les femmes avaient déjà été assez patientes et j'ai considéré comme prioritaire de soumettre ce dossier au Conseil des ministres. Or, le trésor subissait des pressions pour en appeler du verdict de la Cour supérieure, tant de la part du gouvernement que des organismes concernés par cette décision.

Pour ma part, j'étais d'avis qu'il fallait respecter ce verdict et appliquer cette loi pour les trois cent cinquante mille syndiqués de la fonction publique et du secteur parapublic. Par conséquent, nous devions prendre les décisions qui s'imposaient, dont celle de geler pour deux ans les salaires de tous les employés de la fonction publique afin d'avoir l'argent nécessaire pour émettre les chèques liés à l'équité salariale. Je devais veiller à faire respecter le cadre budgétaire. À eux seuls, les paiements rétroactifs de l'équité salariale se sont élevés à 1,7 milliard de dollars.

Une fois la négociation des conventions collectives terminée, j'ai approché les centrales syndicales pour connaître leur volonté de régler ce dossier, puisque leur appui était indispensable. Sans équivoque, elles ont répondu positivement.

C'est une loi très complexe. Il y avait trois cent cinquante catégories d'emplois à évaluer en fonction de dix-sept paramètres. Les négociations furent intenses. Lors d'un moment de découragement, j'ai dit à Claudette Carbonneau : « Si on n'arrive pas à s'entendre, j'abandonne ce projet ! La Commission de l'équité salariale s'organisera pour régler le problème. » Elle m'a répondu : « Madame Jérôme-Forget, nous, les femmes, nous ne démissionnons jamais. »

L'entente entre notre gouvernement et les syndicats au sujet de l'équité salariale est survenue en juin 2006.

En 2011, Mme Carbonneau et moi étions le duo d'invitées à l'émission *L'autre midi à la table d'à côté*, à la radio de la Société Radio-Canada. Autour d'un repas au restaurant, comme le voulait le concept de cette émission, oubliant presque le micro qui captait notre conversation, nous avons évoqué ce dossier où nous étions en confrontation en raison de nos responsabilités respectives, tout en étant déterminées à concrétiser cette entente historique pour les femmes. Elle m'a alors confié qu'elle avait compté les coups de fil que nous nous étions donnés le jour où nous avons conclu l'accord : quatorze !

Je me souviens très bien qu'avec un groupe d'amis nous étions réunis dans un restaurant pour souligner l'anniversaire du cinéaste Denys Arcand et que j'ai passé la soirée à m'excuser parce que je devais sortir de la pièce pour m'entretenir au cellulaire avec Mme Carbonneau. Cela a pu paraître impoli à plusieurs, mais disons que c'était pour une bonne cause.

Le règlement de l'équité salariale figure parmi les exemples probants où l'intérêt des femmes l'emporte sur la partisanerie. En 1996, la Loi sur l'équité salariale avait été adoptée à l'unanimité. Louise Harel a convenu que cela aurait été impensable sans la solidarité des femmes députées de l'Assemblée nationale, dont la libérale Monique Gagnon-Tremblay, qui lui faisait face comme porte-parole de l'opposition officielle.

Il reste encore du chemin à faire. Au Québec, les femmes travaillant à temps plein gagnent en moyenne 76 % du salaire des hommes. Toutefois, l'entente sur l'équité salariale a grandement contribué à réduire l'écart des revenus entre les sexes et à enrichir collectivement les Québécoises.

La Maison symphonique

Au Conseil des ministres, la ministre de la Culture remporte la palme de la modestie. Elle – c'est en effet le plus souvent une femme – s'excuse presque de demander les sommes qui lui reviennent et n'oserait jamais exiger plus.

Quand j'étais présidente du Conseil du trésor, Line Beauchamp, ministre de la Culture et des Communications, et Christine St-Pierre, qui lui a succédé à titre de ministre de la Culture, des Communications et de la Condition féminine, étaient mes chouchous. Il est notoire que j'ai favorisé ces collègues, qui ont toutes deux fait un travail remarquable.

Le poids relatif de leur budget expliquait probablement l'attitude réservée de ces ministres. Vous ne verrez jamais les ministres de la Santé et de l'Éducation démontrer des excès d'humilité. Ils sont conscients de leur valeur auprès du premier ministre et de la population, de même que de l'importance du portefeuille qu'ils gèrent. À eux seuls, ces deux ministères se voient allouer plus de 60 % du budget du Québec.

Malheureusement, d'un budget à l'autre, la culture demeure le parent pauvre. Or, c'est par la création et la diffusion de nos produits culturels que rayonnent notre identité et notre langue, au sein du Canada et à l'étranger. Les arts occupent une place importante dans ma vie, et chaque fois que cela a été possible pour moi, j'ai soutenu les projets qui avaient la capacité d'insuffler un réel dynamisme à notre collectivité, par la culture.

Un jour – bien avant de faire mon saut en politique –, j'ai eu Charles Dutoit pour compagnon de table à un banquet. L'Orchestre symphonique de Montréal (OSM) souhaitait depuis longtemps avoir sa salle de concert et maestro Dutoit multipliait les déclarations en ce sens. J'étais parfaitement d'accord avec lui sur le fait que l'OSM méritait cette salle, qui représenterait un atout pour Montréal. J'ai abordé spontanément le sujet avec lui, mais il a coupé court à notre conversation en déclarant : « Nous ferions mieux d'oublier cette salle, madame. Nous ne l'aurons jamais. »

Ce genre de conclusion pessimiste a le don de me stimuler. Je me sens mise au défi. Or, à ce moment-là, je ne détenais aucun pouvoir me permettant de satisfaire ses volontés.

Lorsque j'ai fait partie du gouvernement, ce projet figurait parmi ceux que je souhaitais ardemment concrétiser. Alors que j'étais présidente du Conseil du trésor, la directrice de l'OSM, Madeleine Careau, de même que Marcel Côté, membre du conseil d'administration de l'OSM, avaient sollicité une rencontre pour m'entretenir du projet de salle de concert. Tous deux m'ont priée de poursuivre la démarche amorcée par Lucien Bouchard, le président du conseil d'administration de l'OSM, afin que cette salle voie le jour.

Je suis parvenue – non sans peine – à justifier au Conseil des ministres l'intérêt que représentait ce projet. En juin 2006, notre gouvernement a fait l'annonce officielle que Montréal aurait sa salle de concert ultramoderne digne des plus grandes villes du monde.

L'architecture extérieure de la Maison symphonique a été critiquée pour son manque d'audace. On a affirmé que le gouvernement du Québec avait raté une belle occasion de doter la métropole d'une signature architecturale distinctive. Je ne partage pas cette opinion. La prestance de la signature architecturale, on l'avait eue avec notre Stade olympique, et le moins qu'on puisse dire, c'est que cela ne s'était pas révélé un succès sur toute la ligne.

L'acoustique représente l'aspect fondamental d'une salle de concert, et l'argent a été affecté là où cela compte réellement. Tous les orchestres qui s'y sont produits en conviennent : la salle possède la meilleure acoustique au monde. Et l'espace intérieur est très beau : les murs, lambrissés de bois de hêtre de couleur bronze rosé, confèrent à la salle une grande élégance.

Si nous avions disposé de 600 millions de dollars, il aurait été possible de créer un édifice visuellement plus grandiose. Mais notre budget oscillait plutôt autour de 130 millions de dollars. Quand il faut construire dans la métropole deux hôpitaux universitaires et un pont, des choix s'imposent.

La Maison symphonique a ouvert ses portes le 6 septembre 2011. Même si j'avais alors quitté la politique, je restais la marraine de ce projet et j'étais évidemment présente au concert inaugural. J'avais les larmes aux yeux en entendant le premier ministre Jean Charest déclarer publiquement que c'était « ma » salle de concert. Elle a effectivement occupé de nombreuses heures de ma vie de ministre. J'en ai suivi les progrès pratiquement chaque semaine.

Étonnamment, c'était la Société immobilière du Québec qui, à l'origine, devait piloter ce dossier. En tant que présidente du Conseil du trésor, j'ai préféré confier ce grand projet au ministère de la Culture et des Communications. Je suis reconnaissante à l'ex-ministre Line Beauchamp d'avoir suivi ce dossier avec beaucoup d'attention et de professionnalisme.

Je n'ai pas revu Charles Dutoit, mais Kent Nagano, le chef actuel de l'OSM, est ravi de cette salle. Après l'inauguration, il m'a offert un cadeau qui m'a fait énormément plaisir : une baguette de chef d'orchestre avec son nom gravé dessus.

Je fréquente assidûment la Maison symphonique. Chaque fois, je suis épatée par sa grâce et par la qualité exceptionnelle de l'expérience sensorielle qu'elle procure aux mélomanes. Le journaliste Alain de Repentigny, de La Presse, a joliment écrit que, dans cet endroit, même les silences sont beaux !

Lorsqu'on annonce ma présence dans la salle, le public applaudit spontanément, et cela me fait chaud au cœur. C'est un legs dont je suis très fière.

LA PASSIONNÉE DE CULTURE

Entrevue avec Lucien Bouchard

Comme Monique Jérôme-Forget, Lucien Bouchard accorde une grande importance à la culture. C'est en 2004, dans la tourmente de la démission fracassante du chef Charles Dutoit, que M. Bouchard est devenu le président du conseil d'administration de l'Orchestre symphonique de Montréal (OSM). Monique Jérôme-Forget était alors présidente du Conseil du trésor. Ces deux mélomanes, autrefois adversaires politiques, ont uni leurs efforts et concrétisé leur rêve de doter le Québec d'une salle de concert digne du plus prestigieux orchestre symphonique professionnel du Canada.

Je rencontre Lucien Bouchard aux bureaux montréalais du cabinet Davies Ward Phillips & Vineberg, où il est avocat associé. Avant d'aborder avec lui le sujet de la Maison symphonique, je reviens sur les premiers pas de Monique Jérôme-Forget à l'Assemblée nationale, alors qu'il était premier ministre du Québec dans le gouvernement du Parti québécois. Je lui rapporte les propos de Monique concernant sa première intervention à l'Assemblée nationale, dont elle a conservé le souvenir d'une prestation peu convaincante.

Lucien Bouchard s'en souvient très bien. «Je n'ai aucun mal à croire que Monique se soit jugée sévèrement. Tous les politiciens qui placent la barre haut – et c'était certainement son cas – passent par cette phase de déception à leur égard. Malgré tout ce que vous aurez accompli auparavant dans votre carrière, vous vous buterez toujours au fait que l'exercice de la parole n'est pas la même chose en politique que dans d'autres domaines. Je l'ai vécu et j'ai trouvé cela très difficile. Mais ce n'était absolument pas parce que je la trouvais inoffensive, ni par pitié, que j'ai demandé à ma députation de laisser poursuivre la députée de Marguerite-Bourgeoys même si son temps était écoulé. Elle était très bien préparée. Ses propos étaient loin d'être banals. Par respect et par solidarité, je voulais qu'elle puisse s'exprimer jusqu'au bout.

« Quoi qu'elle-même en pense rétrospectivement, je peux vous dire que c'était visible qu'elle avait beaucoup de talent, poursuit-il. Elle avait une solide formation et sa confiance en elle était palpable. Je n'avais aucun doute que Monique ferait une belle carrière politique. Lorsqu'elle était à la fois présidente du Conseil du trésor et ministre des Finances, elle était très respectée, mais crainte, aussi. Elle détenait beaucoup de pouvoir au sein du gouvernement. En principe, ces postes doivent rester séparés. René Lévesque avait fini par retirer le Conseil du trésor à son ministre des Finances Jacques Parizeau, ce qui avait provoqué une crise. Lorsque j'étais premier ministre, j'ai respecté ce principe. Jean Charest, c'est indéniable, vouait à Monique une grande confiance. »

En la personne de la ministre Jérôme-Forget, l'OSM a trouvé une leader politique attentive et influente. Ce qui ne signifie pas que le projet a été réalisé en un claquement de doigts. « La détermination de Monique a été cruciale. Elle savait que ce serait difficile à "vendre" politiquement. Il existe en effet un clivage entre Montréal et le reste du Québec, de sorte que la construction d'une salle de concert dans la métropole ne faisait pas l'unanimité au départ. De plus, ce projet risquait d'être perçu comme élitiste. Elle a réussi à le faire approuver par ses collègues et à obtenir l'adhésion de Jean Charest, car le premier ministre doit ultimement donner son aval. C'est ce que j'admirais le plus chez elle : quand elle avait pris une décision dans l'intérêt public, elle portait le projet jusqu'au résultat final. Voilà une qualité essentielle chez quelqu'un qui exerce le pouvoir. Elle a suivi de près chacune des étapes du projet. »

Lucien Bouchard souligne que le budget n'a pas permis d'inclure l'orgue. « Mais je le voulais, cet orgue ! J'ai dit : "Faites le trou pour l'accueillir et nous trouverons l'argent plus tard." Savez-vous pourquoi j'y tenais tant ? Parce que ma mère, Alice Simard, était organiste. »

Grâce à un don de 5 millions de dollars de la mécène Jacqueline Desmarais, la Maison symphonique inaugurait en mai 2014 le Grand Orgue Pierre-Béique (du nom du fondateur et premier directeur général de l'OSM). Sa construction par le facteur d'orgue québécois Casavant Frères a nécessité quatre ans de travail.

« Bien souvent, les projets chers aux politiciens prennent racine dans des expériences très personnelles. Quand je suis devenu premier ministre, parce que j'avais cruellement manqué de livres dans ma jeunesse, j'ai voulu créer la Grande Bibliothèque. Comme moi, Monique n'est pas issue d'une famille aisée et je ne crois pas me tromper en disant qu'avec la Maison symphonique, de même qu'avec le musée McCord, pour lequel elle s'investit beaucoup, elle souhaite que tous les Québécois aient l'accès le plus large possible à la musique, aux arts, à notre patrimoine culturel. »

Lucien Bouchard a publié en 2012 *Lettres à un jeune politicien,* en collaboration avec le journaliste Pierre Cayouette (VLB Éditeur). Je porte à son attention que la vision de la vie politique qu'il y présente a plusieurs points communs avec celle de Monique, notamment lorsqu'il invite les aspirants politiciens à éviter l'excès de partisanerie et à entretenir des relations enrichissantes avec l'ensemble des membres de la grande famille politique.

« C'est vrai que Monique n'est pas partisane. On fait de la politique parce qu'on aime les gens. La vie politique est extrêmement intense sur le plan humain. Les citoyens que l'on rencontre, les militants du parti, les collègues. Je m'ennuie même parfois de mes adversaires : il y a des personnes sympathiques de l'autre bord aussi ! »

J'ai pu mesurer par moi-même l'intérêt que Lucien Bouchard porte aux personnes qu'il rencontre – fût-ce une parfaite inconnue – lorsque l'entretien s'est mué en conversation. Nous avons eu une discussion passionnante sur l'œuvre de l'écrivain Marcel Proust. Je ne rencontre pas tous les jours quelqu'un qui évoque le village fictif de Combray avec la même verve que lorsqu'il parle de Saint-Cœur de Marie, son village natal. Il m'a également posé plusieurs questions sur mon travail de romancière et de biographe. « Monique a eu une vie intéressante, a-t-il conclu. Je vais lire votre livre avec plaisir. »

Autopsie d'une crise

« Madame Jérôme-Forget, on n'a pas oublié ce que vous avez fait à la Caisse de dépôt ! »

Cette femme m'apostrophe à la Boulangerie Saint-Donat, où je suis venue acheter pain et viennoiseries, comme j'aime le faire le samedi lorsque je passe la fin de semaine à la campagne. Nous sommes à l'automne 2013 et je ne fais plus partie du paysage politique depuis plus de quatre ans. Or, pour cette citoyenne, je resterai à tout jamais associée à cet événement. Même après notre conversation, elle demeurera convaincue que c'était moi qui contrôlais la Caisse de dépôt et placement du Québec.

C'est le côté ingrat de la politique : vous donnez le meilleur de vous-même pour servir vos concitoyens, mais certains d'entre eux ne retiendront que ce qui a fait les manchettes des journaux – qui est le plus souvent négatif – sans avoir en main toutes les données pour juger de ce qui s'est réellement passé.

Beaucoup a été dit et écrit sur cette crise. Je l'ai vécue de l'intérieur, et je désire prendre ici le temps de donner ma vision des choses, avec la sagesse que permet le recul.

Le 25 février 2009, les journaux titraient : « Un trou de 40 milliards de dollars dans le bas de laine des Québécois » ; « La Caisse saigne : presque 40 milliards perdus ». Les contribuables apprenaient ainsi officiellement l'ampleur de la crise, après des mois de rumeurs voulant que « leur » Caisse ait essuyé des pertes colossales pour l'année 2008.

Créée en 1965, la Caisse de dépôt gère notamment les caisses de retraite des employés de l'État, de même que le régime des rentes du Québec. Que s'était-il passé pour qu'elle enregistre les pires résultats de son histoire ? Sont montrés du doigt les investissements dans le papier commercial adossé à des actifs (PCAA), des titres malmenés par l'effondrement du secteur hypothécaire aux États-Unis.

À titre de ministre des Finances, j'avais effectivement sous ma responsabilité la Caisse de dépôt. Mais il faut comprendre que, en vertu de la loi qui la régit, elle fonctionne de façon indépendante. Le gouvernement en nomme les membres du conseil d'administration, mais il ne doit en aucun cas intervenir dans les activités de la Caisse. La loi est très claire à cet égard. Je respectais donc cette règle et n'étais pas au courant des opérations. La Caisse de dépôt a toujours préservé cette autonomie. Henri-Paul Rousseau, le président-directeur général à l'époque, prenait ce principe d'indépendance au pied de la lettre. Il n'a jamais communiqué avec moi.

Un jour, j'ai reçu un coup de fil de Pierre Brunet, le président du conseil d'administration de la Caisse de dépôt, qui voulait me rencontrer le jour même, en compagnie d'Henri-Paul Rousseau. J'ai annulé tous mes rendez-vous et attendu leur visite. Ce matin-là, dans mon bureau, Henri-Paul Rousseau a affirmé qu'une « tempête parfaite » s'annonçait, c'est-à-dire une rare conjoncture de paramètres et d'événements économiques qui risquaient de créer des dégâts sans précédent, à l'échelle de la planète. Il a évoqué des pertes potentiellement astronomiques pour la Caisse de dépôt, sans pouvoir me dire à combien elles pourraient s'élever. J'étais alarmée et inquiète, d'autant plus que je savais que ce serait moi qui devrais aller au front lorsque viendrait le temps de rendre des comptes aux contribuables.

Je me suis vite retrouvée au cœur de la tourmente. Je devais donner le coup de barre qui s'imposait, en plus de faire face au feu nourri des questions de l'opposition, en Chambre, et des médias. Cette crise à la Caisse de dépôt a été sans contredit l'épisode le plus houleux de ma carrière politique.

Au Québec, la Caisse de dépôt n'était pas la seule à avoir acheté du PCAA. La Banque Nationale et le Mouvement Desjardins possédaient aussi ce type de titres, bien qu'en moins grande quantité. Les dirigeants de la Caisse avaient-ils agi imprudemment dans ce dossier ? Jusque-là, même Henri-Paul Rousseau ignorait l'envergure du désastre économique qui se profilait.

Il s'est avéré, au cours de la crise, que la Caisse de dépôt était l'institution canadienne qui en détenait le plus. Nous avons appris par la suite que puisque la gestion de ces titres n'était pas centralisée mais répartie parmi les dix-sept portefeuilles, personne à la Caisse de dépôt ne savait combien l'institution en détenait au total.

C'est en août 2007 que les médias – notamment le torontois *Globe and Mail*, plutôt content de son coup – ont commencé à révéler l'existence de problèmes à la Caisse de dépôt. Pendant la période de questions, à l'Assemblée nationale, l'adéquiste Gilles Taillon et le péquiste François Legault ont immédiatement saisi qu'il serait avantageux pour eux, sur le plan politique, de me faire porter le poids de ce désastre. Sur quarante-cinq minutes de questions à l'Assemblée nationale, j'en passais trente à répondre au sujet de la Caisse de dépôt.

François Legault était très bien informé, par je ne sais qui. Manifestement, il recevait des renseignements confidentiels. Il en savait souvent plus que moi et cela me mettait dans l'embarras. Évidemment, j'essayais de n'en rien laisser paraître.

Lorsque la crise a éclaté au grand jour, j'aurais pu blâmer les dirigeants de la Caisse de dépôt, me dissocier d'eux, jouer la ministre scandalisée. Au final, je m'en serais mieux tirée sur le plan personnel. Mais il était hors de question que j'abandonne le navire dans la tempête. Cette attitude aurait été contraire à mes valeurs les plus profondes.

En me replongeant dans cette affaire, je réalise que je suis une femme de principes. Par respect pour la fonction que j'occupais et pour les contribuables, j'avais décidé de faire tout en mon pouvoir afin de sortir la Caisse de dépôt de son bourbier, sans penser aux conséquences pour moi-même, aux plumes que je ne manquerais pas de perdre dans cette aventure.

Et puis aujourd'hui, je peux avouer que j'avais une autre motivation : ma fierté de Québécoise. La Caisse de dépôt est le gestionnaire de fonds institutionnels le plus important au Canada, devant le Teachers' Pension Plan de l'Ontario. Les institutions des deux provinces ont toujours entretenu une certaine rivalité. Je savais trop bien que du côté du Canada anglais plusieurs auraient souri d'avoir la preuve de ce qu'ils pensaient déjà : que notre fleuron était administré par des incompétents.

En 2008, afin d'obtenir le portrait le plus juste possible de ce qui était en train de se produire sur la scène financière, j'avais décidé de réunir tous les lundis matin dans mon bureau les dirigeants des grandes banques, de la Caisse de dépôt, de la Société générale de financement (SGF), d'Investissement Québec, du Fonds de solidarité, de Fondaction, le fonds de travailleurs de la centrale syndicale CSN, ainsi que d'autres acteurs clés aptes à décrypter la situation critique dans laquelle nous nous trouvions. C'est grâce à ces réunions que j'ai pu comprendre que la crise à la Caisse de dépôt n'était que le signe annonciateur de la débâcle financière qui allait secouer les économies du monde entier au cours des mois qui suivraient.

J'ai aussi communiqué avec David Dodge, le gouverneur de la Banque du Canada. Il a reçu sans tarder les représentants des institutions touchées par la crise du PCAA, mais n'a hélas pas cru nécessaire de réagir rapidement. Par bonheur, celui qui lui a succédé quelques mois plus tard, Mark Carney, a décidé d'intervenir, tout comme le ministre fédéral des Finances, Jim Flaherty, dès lors qu'ils ont constaté que le problème débordait largement les frontières du Québec. Les interventions des deux hommes se sont avérées déterminantes pour tirer d'affaire nos institutions financières, particulièrement la Caisse de dépôt. J'ai d'ailleurs tenu à les en remercier dans mon dernier discours du budget.

Dans un premier temps, j'ai tenté de calmer les esprits, ce qui a malheureusement été interprété comme une volonté du gouvernement de cacher la vérité. Mais le milieu financier étant très frileux, il n'aurait pas été avisé que la ministre des Finances s'agite démesurément. Je savais par ailleurs que la Caisse de dépôt était dans de mauvais draps, mais je ne connaissais pas encore l'ampleur de la situation. D'ailleurs, ses dirigeants ont eux-mêmes eu de la difficulté à prendre toute la mesure de la catastrophe.

Il m'apparaissait clair que je devais soutenir le président. D'autant plus qu'Henri-Paul Rousseau, aussi préoccupé que je l'étais, s'activait pour trouver des solutions. Dès août 2007, il a mandaté l'avocat réputé Purdy Crawford pour piloter un comité qui devait restructurer le PCAA, afin de transformer ces titres en titres à plus long terme. Il fallait absolument éviter leur effondrement pour minimiser les pertes des institutions qui en possédaient. Voilà pourquoi j'exhortais tout le monde à la patience : je voulais laisser ce comité accoucher de son plan de sauvetage, que l'on a appelé l'Accord de Montréal et qui a su rallier les partenaires.

En 2008, j'ai pris la décision de remplacer tous les membres du conseil d'administration, y compris le président, qui avait généreusement consacré tout son temps à la gestion de cette crise. Mon cabinet m'a offert de s'acquitter de cette tâche, mais j'ai préféré téléphoner moi-même à chacun d'eux. J'estimais qu'il s'agissait de ma responsabilité, même si ce fut pour moi l'une des choses les plus difficiles que j'aie eu à faire dans ma carrière. Il s'agissait d'hommes tous hautement qualifiés et je savais pertinemment qu'ils ne pouvaient être au courant de la composition des portefeuilles de la Caisse de dépôt et qu'ils devaient pour cela faire confiance au PDG, ce qu'ils avaient fait, mais peut-être trop aveuglément.

Ultimement, un conseil d'administration demeure responsable des destinées de l'institution. Je me suis donc marché sur le cœur et j'ai fait ce geste draconien, qui pouvait sembler injuste. Mais il fallait envoyer un signal clair de prise en charge et de renouveau.

Henri-Paul Rousseau avait déjà quitté la Caisse. Sur sa recommandation, nous avons nommé PDG Richard Guay, l'un des gestionnaires de la Caisse de dépôt, qui possédait une connaissance approfondie de l'institution et de la crise qu'elle traversait. En raison d'un problème de santé, il a quitté le navire après quelques mois. Nous avons dû trouver rapidement un successeur – Michael Sabia – car la Caisse de dépôt ne pouvait rester sans capitaine.

Aujourd'hui, on sait que grâce à la mise en œuvre de l'Accord de Montréal, l'impact de la crise du PCAA sur les finances publiques et sur les citoyens qui cotisent à différents fonds, comme la Régie des rentes, est chose du passé. Sous la présidence de Michael Sabia, la Caisse de dépôt est parvenue à récupérer les sommes perdues lors de la crise.

Tout s'est bien terminé, mais on peut dire que ce fut un véritable cauchemar. Aujourd'hui, je suis en paix avec cet épisode de ma carrière politique. Je pense sincèrement avoir contribué à la résolution de la crise, d'une part en me tenant informée et en suivant la situation au jour le jour, d'autre part en ne reculant devant rien pour forcer ceux qui pouvaient avoir une influence dans le dossier à intervenir. Disons que j'ai fait alors ce que l'on pourrait qualifier de « tordage de bras ». J'y ai mis tout mon poids.

Des commentateurs ont vertement critiqué l'attitude du premier ministre Charest durant cette crise, l'accusant de m'avoir envoyée seule au front. Parce que j'étais effectivement tous les jours sur la sellette. Quand j'ai quitté la politique, Pauline Marois a affirmé que j'avais servi de paratonnerre au premier ministre. Un journaliste a même parlé de moi comme d'un bouclier humain ! En entrevue au *Télé-journal* de la Société Radio-Canada, le jour où j'ai annoncé ma démission, le chef d'antenne Patrice Roy a tenté de me faire admettre que je m'étais sentie abandonnée par mon chef.

Je répète ici ce que j'ai dit à ce moment-là, parce que c'est la vérité : c'était mon dossier et je me sentais parfaitement capable de le piloter. Jean Charest était là pour m'épauler et j'avais accès à lui en tout temps. Franchement, s'il avait pris ma place, j'aurais perçu son attitude comme un désaveu de sa part. Je suis une battante, et il me connaît très bien. Il savait que j'avais l'expérience et les compétences pour faire face à la musique.

Quelques semaines avant d'annoncer officiellement ma démission, j'ai été convoquée en commission parlementaire. La journaliste Katia Gagnon, de *La Presse*, a décrit la scène comme un duel où j'étais dans le coin gauche, alors que dans le coin droit se trouvaient le péquiste François Legaut, l'adéquiste François Bonnardel, ainsi qu'Amir Khadir, de Québec solidaire. Elle n'avait pas tout à fait tort ! Mais cela faisait plus d'un an et demi que je travaillais à ce dossier, que j'y pensais chaque jour. Ce témoignage ne m'a pas stressée plus qu'il ne le faut.

Au Salon rouge, je me suis prêtée à l'exercice de bonne foi, accompagnée du sous-ministre des Finances, Jean Houde, auquel j'allais pouvoir faire appel pour les questions plus techniques. J'étais calme et disposée à répondre le plus clairement possible aux questions, ce que j'ai fait. Or, à un certain moment, François Bonnardel m'a fait sortir de mes gonds en me demandant de présenter mes excuses, ce que je trouvais aberrant et qui démontrait une ignorance crasse des responsabilités du ministre des Finances dans l'administration de la Caisse de dépôt. Je suis certaine que François Bonnardel jugerait aujourd'hui ses propos exagérés. Le jeu politique a ceci d'exécrable qu'il oblige les adversaires à forcer la note. J'ai moi-même commis de tels débordements et je suis en mesure de mettre tout cela en perspective. Comme tout le monde, j'étais très mécontente des résultats de la Caisse de dépôt. Mais j'estimais qu'au lieu de me flageller sur la place publique il était plus constructif de tirer des leçons de ce fiasco et d'apporter les correctifs qui s'imposaient.

Est-ce que la Caisse de dépôt s'en serait tirée aussi bien si je ne m'étais pas démenée autant pour la sauver ? Je sais une chose aujourd'hui, c'est que les acteurs de cette crise se devaient de garder la maîtrise de leurs émotions. J'ai été étonnée par le flegme de Louis Vachon, le président de la Banque Nationale, de même que par la force de Monique Leroux, la présidente du Mouvement Desjardins, tous deux concernés par la crise. Nous nous rappelons ces souvenirs à l'occasion, avec un brin de satisfaction et le sourire du gagnant. Nous avons pu sauver la situation grâce à notre solidarité. Sur le plan personnel, j'ai peut-être perdu de mon lustre aux yeux de certains, mais je ne regrette rien.

Tirer ma révérence

En janvier 2008, après avoir passé le congé des fêtes au Mexique, je dus me rendre à l'évidence que je revenais au Québec à contrecœur.

Claude y passait tout l'hiver. Bien sûr, nous nous parlions tous les jours au téléphone. Mais j'avais de plus en plus de mal à le savoir là-bas tandis que j'étais au froid. J'aurais aimé profiter plus longuement de ces séjours au soleil et j'étais frustrée de ne pas pouvoir consacrer davantage de temps à l'apprentissage de l'espagnol.

Pour l'avoir éprouvée à plusieurs reprises au cours de ma carrière, je savais reconnaître les premiers signes de la lassitude professionnelle. Je devais admettre que je n'avais plus le même enthousiasme pour mon travail de ministre.

Les contraintes de la solidarité ministérielle me pesaient et ma patience s'émoussait. Aux séances du Conseil des ministres, je parvenais de plus en plus mal à dissimuler mon irritation devant le manque de cohérence de certaines décisions. Je commençais à me dire que quelqu'un d'autre ferait probablement mieux à ma place.

Depuis l'élection générale du printemps 2007, nous formions un gouvernement minoritaire. Soutenir qu'un gouvernement minoritaire peut se comporter comme s'il était majoritaire, c'est de la foutaise, à mon avis. Je parle en toute connaissance de cause, ayant présenté mon premier budget dans ce contexte délicat.

Un gouvernement minoritaire risque toujours d'être renversé lors de la présentation du budget. J'avais alors tenu compte de certaines des demandes de l'Action démocratique du Québec (ADQ) et du Parti québécois (PQ), des concessions qui s'imposaient pour que le budget soit adopté. Or, Mario Dumont, le chef de l'ADQ, a décidé de voter contre le budget deux minutes après son dépôt, sans même l'avoir lu. L'impasse s'est finalement dénouée lorsque le premier ministre et moi avons réussi *in extremis* à nous entendre avec le PQ, notamment parce que François Gendron, qui était alors chef intérimaire après la démission d'André Boisclair, avait pris le relais de François Legault, le critique du PQ en matière de finances, qui se montrait beaucoup plus intransigeant. J'estime que Mario Dumont a commis une grave erreur. Il a failli à ses responsabilités de chef de l'opposition officielle, qui doit jouer un rôle d'arbitre dans ce genre de situation. Selon moi, son attitude a largement contribué à la déconfiture de son parti aux élections suivantes.

*

L'année 2008 fut très mouvementée, marquée par les difficultés de la Caisse de dépôt et assombrie par la crise financière mondiale qui se profilait et ne manquerait pas d'affecter le Québec. À l'automne, j'avais acquis la certitude qu'un gouvernement minoritaire serait dans l'impossibilité de manœuvrer dans cette tempête, et j'ai fortement conseillé à Jean Charest de déclencher des élections générales. Il en allait de l'avenir économique du Québec. Nous en avons longuement débattu au caucus, car comme toujours le premier ministre était à l'écoute de sa députation, même si la décision finale lui revenait entièrement.

Il se doutait que je souhaitais partir. Je lui ai donc dit franchement que je ne me présenterais pas aux prochaines élections, ce à quoi il a répondu : « Si tu n'y vas pas, je n'y vais pas non plus. »

Cette réaction de sa part, à laquelle je ne m'attendais pas, m'a ébranlée. J'en ai discuté le soir même avec Claude, qui m'a fait comprendre que nous nous apprêtions à livrer une bataille déterminante à laquelle je devais absolument prendre part. Au fil des années, une équipe se bâtit autour d'un chef. La nôtre avait su démontrer un esprit de corps et une cohésion que j'hésitais à compromettre en me retirant.

Par ailleurs, la gestion de la crise à la Caisse de dépôt m'avait propulsée à l'avant-scène pendant plusieurs mois et avait accru ma notoriété. Une caricature me montrant auréolée de la chevelure frisée de Jean Charest, comme s'il se cachait derrière moi, avait traduit de manière éloquente le sentiment – exagéré selon moi – que j'étais devenue indispensable au sein du parti. J'étais perçue comme la femme forte du gouvernement Charest.

Je me souviens très bien des sentiments contradictoires qui m'habitaient. J'étais tiraillée entre mes désirs personnels d'une part et, d'autre part, ma loyauté envers mes collègues et les impératifs de l'État. Mon sens du devoir l'a emporté.

J'ai informé Jean Charest que je ferais la campagne électorale, mais que je tirerais ma révérence tout de suite après l'adoption du budget. Conscient de son charme et de ses capacités de persuasion, il a probablement cru qu'il réussirait à me convaincre de rester plus longtemps. Il a d'ailleurs essayé à plusieurs reprises.

Je savais que cette démission me serait reprochée, étant donné les coûts que représente la tenue d'une élection partielle. J'étais très sensible à cet argument. J'ai toutefois jugé que ce que je pouvais faire pour affronter la récession et préserver la santé des finances publiques par l'entremise de ce budget crucial compensait cet effet négatif.

Au cours de cette campagne, j'ai passé peu de temps dans mon comté. J'ai sillonné le Québec, parfois avec Jean Charest, parfois seule. Comme tous mes collègues ministres, j'ai accordé de nombreuses entrevues dans les médias.

Paradoxalement, une campagne électorale n'est pas le moment propice pour exposer ses idées en long et en large, puisqu'il faut éviter tout sujet qui pourrait nuire à notre élection. Je devais surveiller chacune de mes paroles, chaque geste, sachant que les médias se donnent le mandat de forcer les chefs et les ministres à se compromettre en faisant une promesse électorale non planifiée, qui n'est pas nécessairement dans l'intérêt du Québec.

Les journalistes scrutent les candidats vedettes à la loupe. L'incident suivant prouve à quel point un rien peut prendre des proportions exagérées, en campagne électorale. Avec François Legault du Parti québécois et Gilles Taillon de l'Action démocratique du Québec, je participais à un débat télévisé animé par Jean Lapierre et, à titre de ministre sortante, j'étais celle sur qui l'on tirait à boulets rouges. François Legault, en bon bagarreur, m'interrompait constamment et Jean Lapierre ne le rappelait pas à l'ordre. Comme tout journaliste qui se respecte, il appréciait certainement ce genre de confrontation. À un certain moment, exaspérée, j'ai laissé échapper à voix très basse : « Quel con. »

Un journaliste l'a relevé, ce qui a suscité l'intérêt des médias pendant plusieurs jours. Quelle sottise que d'accorder de l'importance à un commentaire que j'avais murmuré pour moi-même, alors que des questions autrement plus sérieuses étaient en jeu ! J'ai dû m'expliquer, puis m'excuser. Pour nous, les femmes, s'excuser ne représente pas un effort considérable. J'ai toujours remarqué que cela semblait beaucoup plus difficile pour les hommes. Je ne dévoilerai pas à qui s'adressait mon commentaire : je me garde ce petit secret.

Le soir de l'élection de 2008, les premiers résultats m'ont donné des sueurs froides : le Parti libéral se trouvait nez à nez avec le Parti québécois. La perspective de siéger dans l'opposition contrecarrait mes plans et ne m'enchantait guère. Le Parti libéral fut heureusement reconduit au pouvoir en faisant élire soixante-six députés. Les sept sièges de plus nous permettaient de former un gouvernement majoritaire pour cette trente-neuvième législature.

J'avais demandé au premier ministre de me retirer la présidence du Conseil du trésor, que j'avais assumée pendant sept ans. À titre de ministre des Finances, je souhaitais me concentrer sur la préparation du budget 2009-2010, avec la crise économique mondiale en toile de fond.

Afin de m'aider à préparer mon dernier budget, Véronique Mercier, ma chef de cabinet, a accepté d'écourter son congé de maternité. Véronique fut un pilier dans ma carrière politique, et je lui suis très reconnaissante d'avoir été à mes côtés au cours des semaines précédant mon départ.

La période de préparation d'un budget est d'une intensité hors du commun. Le ministère des Finances se transforme en véritable ruche. Pendant plusieurs semaines, nous ne quittons pas Québec et travaillons sept jours sur sept. Plusieurs fonctionnaires étaient à pied d'œuvre même la nuit. Le ministère des Finances devient un bunker dont la sécurité est assurée par la Sûreté du Québec.

Nous avons modifié le budget jusqu'à la dernière minute. Je m'énervais devant l'hésitation du premier ministre à accepter des recommandations qui m'apparaissaient nécessaires. C'est sa prérogative que d'avoir le dernier mot sur le budget. De guerre lasse, j'ai donc accepté d'apporter certains changements. Je ne pouvais que saluer ses interventions, lui ayant reproché de n'être pas suffisamment intervenu lors des budgets précédents.

Comme je l'ai fait chaque fois, j'ai rencontré individuellement les ministres pour les informer de ce qui les concernait dans le budget. Plusieurs des recommandations me venaient d'ailleurs d'eux. Mes collègues ont toujours grandement apprécié cette attention que je leur témoignais. Je pense pourtant qu'il s'agit là de la plus élémentaire des courtoisies, puisque ce sont eux qui mettront en vigueur le contenu du budget.

J'ai présenté ce budget à la population le 19 mars 2009. Un budget déficitaire, alors que j'avais cru jusque-là que nous aurions été en mesure de maintenir l'équilibre budgétaire.

Or, en janvier, le ministère des Finances avait dû prendre acte que la situation s'était brusquement détériorée. Les impôts perçus des particuliers et des entreprises, de même que les revenus de taxe de vente avaient chuté radicalement.

Selon mon habitude, j'avais usé de prévoyance en gardant une réserve, qui s'est cependant révélée insuffisante devant l'ampleur de cette récession. Ce n'est évidemment pas de gaieté de cœur que j'ai annoncé un déficit de près de 3 milliards de dollars. L'on me surnommait « Madame Rigueur », et je suis évidemment une fervente partisane du déficit zéro. Mais j'estime qu'un gouvernement doit prendre ses responsabilités et agir quand c'est nécessaire, même si ses actions seront impopulaires. Il n'était pas question de sabrer dans les services en santé et en éducation, qui représentent, avec l'aide sociale, plus de 75 % du budget du Québec. J'ai dû faire des choix difficiles, comme celui d'augmenter le taux de la taxe de vente.

Nous pouvions toutefois nous consoler en constatant que le Québec s'en tirait mieux que les autres provinces, notamment en raison de son économie diversifiée. L'Ontario, par exemple, avait annoncé un déficit de 14 milliards de dollars. Le programme d'infrastructures que notre gouvernement avait mis en œuvre en 2007 réussissait à endiguer le chômage en créant cent mille emplois par année. Par l'entremise de la Société générale de financement, de la Caisse de dépôt et placement et d'Investissement Québec, nous avons également lancé des fonds d'investissement totalisant 1,5 milliard de dollars afin de permettre aux entreprises de traverser la crise. Il leur était devenu très difficile d'emprunter de l'argent pour financer leurs activités et honorer leurs commandes, car les institutions financières se montraient réticentes à consentir des prêts dans le contexte économique qui prévalait. Ce problème criant de liquidités mettait de nombreuses entreprises en péril. Nous avons posé les bons gestes, au bon moment.

Une fois l'étape du budget franchie, il me fallait préparer ma sortie et conclure une aventure qui avait été sans l'ombre d'un doute la plus belle de ma vie sur le plan professionnel.

Véronique Mercier m'a aidée à planifier ma démission, dans la plus grande discrétion. J'avais décidé de partir le lendemain du vote du budget. Elle seule était au courant, puisque je voulais éviter à tout prix que les médias l'apprennent avant l'annonce officielle, afin de conserver la crédibilité nécessaire à l'exercice de mes fonctions.

Même si je n'avais aucun doute sur le fait que Jean Charest aurait gardé ce secret, je ne l'ai pas mis au courant, car je me méfiais de son entourage. En janvier, un article avait paru dans la presse écrite, qui avançait que tout n'allait pas pour le mieux entre lui et moi. L'unité et la puissance d'un parti politique priment les individus. Je connaissais cette logique et je soupçonnais qu'un de ses conseillers avait voulu préparer le terrain en minimisant mon importance, dans le but d'atténuer l'impact de mon départ, même s'il fallait pour cela inventer un conflit de toutes pièces.

Cet article m'a profondément blessée. D'abord, c'était faux. Depuis le moment où il m'avait recrutée, ma relation avec Jean Charest avait été caractérisée par une grande complicité. Il m'a confié d'importantes responsabilités au sein du gouvernement qu'il dirigeait, et je lui en serai toujours reconnaissante. Nous avons également tissé une amitié sincère. En le côtoyant de près, j'ai découvert un homme formidable : ouvert, drôle, généreux et, surtout, chaleureux. Il ne manquait jamais de prendre des nouvelles de la conjointe et des enfants de chacun. Si un député était hospitalisé, il était le premier à aller le voir. C'est l'une des personnes les plus attentives aux autres que je connaisse.

De plus, la loyauté est pour moi une valeur cardinale. Loyale, je l'avais été du début à la fin, et je ne méritais certainement pas ce traitement.

J'ai donc informé le premier ministre de mon départ deux jours avant l'annonce publique. Dans un premier temps, il a réuni les membres du caucus libéral et leur a fait part de ma décision. J'ai enchaîné avec un petit discours livré avec un trémolo dans la voix. Quelle ne fut pas ma surprise de constater que la moitié des députés pleuraient ! Touchée, j'y ai vu la preuve qu'en dépit de l'attitude autoritaire que j'avais dû démontrer dans le cadre de mes fonctions, mes collègues m'avaient appréciée.

Le 8 avril 2009, le bureau du premier ministre a convoqué une conférence de presse au cours de laquelle Jean Charest et moi avons annoncé ma démission. Notre communiqué fut bref et j'ai refusé de répondre aux questions des journalistes, me sachant trop sous l'emprise de l'émotion.

Je suis rentrée à Montréal, où j'ai tenu une conférence de presse plus détaillée. Puisque je partais dès le lendemain pour le Mexique, je n'ai pu rencontrer le personnel de ma circonscription ni celui du ministère des Finances pour leur faire mes adieux en bonne et due forme. J'ai toutefois tenu à les remercier au cours de ce point de presse. Ces femmes et ces hommes m'avaient assistée avec un grand professionnalisme et je leur devais toute ma reconnaissance. Luciana Evangelista, ma très efficace attachée politique, tenant si bien le fort à mon bureau de circonscription et me représentant dignement à de nombreux événements, de sorte qu'on l'appelait «Madame Jérôme-Forget». Luc Meunier, secrétaire au Conseil du trésor, et Jean Houde, sous-ministre au ministère des Finances : hauts fonctionnaires chevronnés, toujours prêts à me guider et à m'éclairer, sans qui il m'aurait été impossible de faire mon travail avec autant d'assurance. Les relations humaines au sein de mes équipes de travail ont toujours été de la première importance pour moi. Ces gens sont restés des amis, que je revois avec beaucoup de plaisir.

*

Je n'ai pas prononcé de discours d'adieu à l'Assemblée nationale, ainsi que le veut la tradition. Cela a probablement été perçu par certains comme un manque d'élégance. J'aurais sincèrement aimé faire cet ultime discours.

J'aurais voulu me tenir debout dans ce lieu même où j'avais prêté serment une décennie plus tôt, impressionnée par la solennité qui s'en dégageait. J'aurais aimé livrer mon discours dans les règles de l'art, remercier le président de l'Assemblée nationale, puis sortir. Mais sachant que je serais incapable de retenir mes larmes, j'ai préféré passer mon tour. Je n'ai jamais apprécié les effusions en public. J'aurais eu beaucoup de mal à conserver mon aplomb devant ceux et celles avec qui j'avais vécu cette décennie qui m'avait comblée.

D'une façon ou d'une autre, j'avais tissé des liens avec bon nombre d'entre eux, dans cet environnement absolument unique qu'est l'Assemblée nationale. Qu'il s'agisse des députés de mon parti ou de ceux de l'opposition, en face, dont Sylvain Simard, critique de l'opposition officielle pour le Conseil du trésor. Des députés du Parti québécois m'avaient confié un jour que chaque fois que le député de Richelieu se levait en Chambre pour m'affronter, ils retenaient leur souffle, conscients que leur collègue perdrait des plumes. Il est vrai que je ne lui faisais pas de cadeau, ce qui ne nous a pas empêchés de reconnaître mutuellement nos qualités.

J'étais en paix avec mon choix de quitter la politique, estimant m'être rendue au bout de cette expérience où j'avais donné beaucoup de moi-même et qui m'avait énormément apporté. Mais en même temps, j'avais le sentiment que je laissais tomber les gens de mon comté, mes collègues, de même que le premier ministre. J'avais l'impression d'abandonner la grande famille politique québécoise.

Bien qu'elle ait été planifiée dans ses moindres détails, la journée de l'annonce de mon départ fut éprouvante sur le plan émotif.

Le lendemain matin, je m'envolais vers le Mexique. J'étais triste, mais soulagée de clore ce chapitre de ma vie.

Conclusion

La sage

À soixante-huit ans, j'avais envie de souffler un peu et de me consacrer à mes projets personnels. Je me suis mise à l'apprentissage intensif de l'espagnol comme je le souhaitais depuis longtemps. Claude m'avait inscrite dans une école de langues, à Mérida, et quelques jours après ma démission j'étais en classe avec mes cahiers tout neufs. Puisqu'il parlait couramment espagnol, il m'y avait emmenée le premier matin, presque par la main. Je me sentais comme une fillette un peu désemparée qui fait son entrée à l'école !

Puis nous avons voyagé quelques mois en Europe. J'ai ensuite entrepris l'écriture de mon livre sur le plafond de verre auquel se heurtent les femmes qui souhaitent atteindre les sommets de l'échelle entrepreneuriale. Je me suis abondamment documentée afin de brosser un portrait juste de la situation et de proposer des solutions pour faire évoluer les choses. C'était une façon pour moi de poursuivre mon engagement auprès des femmes, qui m'avait animée toute ma vie.

Après avoir été sous les feux de la rampe, j'appréciais la tranquillité de ma nouvelle vie. Les gens de mon entourage avaient cru bon de me prévenir que le téléphone cesserait de sonner après mon retrait de la politique. Bien intentionnés, ils voulaient préparer le terrain, craignant probablement que l'atterrissage ne soit trop brutal. Or, ces précautions étaient superflues. J'étais parfaitement consciente que ce n'était pas à Monique Jérôme-Forget que l'on s'intéressait, mais à la ministre. Je n'ai d'ailleurs jamais compris que des politiciens à la retraite s'offusquent d'être délaissés. Pour moi, il allait de soi que lorsque je quitterais cette vie publique, on m'oublierait. Personne n'est irremplaçable.

Je fus donc sincèrement surprise de voir affluer les propositions. Le cabinet d'avocats Osler m'a recrutée à titre de conseillère spéciale. Les médias sollicitent régulièrement mon avis sur l'actualité, parfois en compagnie de ceux et celles avec qui j'ai autrefois croisé le fer. Par exemple, Bernard Landry et moi partageons souvent la même tribune. J'ai aussi participé plusieurs fois aux segments « Les duos improbables » de l'émission *Pas de midi sans info*, à la radio de la Société Radio-Canada, avec les anciens leaders syndicaux Louis Roy et Réjean Parent. Parfois, mes positions étaient plus à gauche que celles de ce dernier, et je ne me privais pas de le taquiner : « C'est le monde à l'envers, Réjean, qu'est-ce qu'il te prend ? » Nous nous amusions beaucoup. Dans ce nouveau contexte, c'est toujours la franche camaraderie qui prend le dessus. Aujourd'hui, délivrée du carcan qu'imposent les règles du jeu politique, je peux affirmer librement mes opinions. Je m'abstiens toutefois de commenter les propos de mes anciens collègues. Je ne veux surtout pas faire ma « belle-mère ».

J'ai trouvé remarquable que le ministre fédéral des Finances Jim Flaherty, à qui je m'étais souvent vigoureusement opposée lorsque je défendais les intérêts du Québec devant les décisions prises à Ottawa, m'ait invitée en 2010 à faire partie du Conseil consultatif sur l'économie. Ce comité réunit un groupe très sélect de douze personnes de partout au Canada, qui font des recommandations au ministre sur diverses questions économiques. Par la suite, il m'a nommée membre du conseil d'administration de la Banque du Canada.

En 2013, j'ai accepté de faire partie du Groupe de travail sur la protection des entreprises québécoises, créé par Nicolas Marceau, le ministre des Finances du gouvernement du Parti québécois. Le *Journal de Montréal* a alors titré : « Monique Jérôme-Forget chez les péquistes. » Aux journalistes qui me questionnaient sur ce qu'ils percevaient comme une volte-face, j'ai répondu que j'étais toujours libérale et que je travaillais pour le Québec. Je pense qu'en présence d'enjeux importants, comme l'est celui de contrer l'exode des sièges sociaux, il faut faire preuve d'ouverture d'esprit et unir nos forces. Le temps presse, dans ce genre de dossier. Il s'avère crucial de mettre de côté les guerres de partis et d'aller de l'avant. Je trouvais la démarche du ministre Marceau très intéressante : j'ai même candidement admis devant les médias que j'aurais dû créer un tel groupe de travail lorsque j'occupais ce poste.

La même année, on m'a nommée officière du Québec et j'ai été récipiendaire du prix Femme d'exception décerné par la Fondation Y des femmes. Cela m'a beaucoup touchée.

Je suis présidente du conseil d'administration du Musée McCord, à Montréal. Ce musée compte l'une des plus importantes collections historiques en Amérique du Nord, composée d'objets ethnologiques et archéologiques, ainsi que d'archives textuelles. Actuellement, faute d'espace, il ne peut présenter au public que 1 % de sa collection. Je vois grand pour ce musée, qui mériterait un nouveau site lui permettant d'assumer pleinement sa vocation de mise en valeur et de diffusion de notre histoire.

Je siège au conseil de Québec Cinéma, ainsi qu'aux conseils de l'Institut de recherches cliniques de Montréal et de la Fondation du Grand Montréal. Je suis *fellow* invitée au Centre interuniversitaire de recherche en analyse des organisations, qui regroupe toutes les universités du Québec et produit principalement des études économiques.

En revisitant mon passé, j'ai réalisé avec encore plus d'acuité à quel point ma vie a été magnifique, beaucoup plus belle que je me l'étais imaginée lorsque j'étais jeune.

J'ai eu la chance inestimable d'être aimée par mes parents, de partager ma vie avec un homme ouvert d'esprit et d'une grande intelligence, que je n'ai jamais cessé de trouver intéressant. Nous avons été comblés par nos deux enfants, auxquels sont venus s'ajouter nos trois petits-enfants. Je n'ai jamais été malade. Ma situation matérielle m'a permis de vivre confortablement et de faire pratiquement le tour du monde en compagnie de gens que j'aime.

Je ne souhaite rien d'autre que de profiter le plus longtemps possible de cette vie où je me sens si choyée. Le mot « retraite » n'a pas grand sens pour moi. Pourquoi faudrait-il s'arrêter lorsqu'on atteint le troisième âge ? J'ai récemment été éblouie par la performance de la comédienne Béatrice Picard dans la pièce *Peter et Alice*, au théâtre Jean-Duceppe. Quel talent, quelle énergie ! Les Béatrice Picard, Denise Filiatrault et toutes celles qui continuent de pratiquer leur métier, jusqu'à un âge avancé, je les appelle les « femmes éternelles ». Elles sont pour moi une grande source d'inspiration.

Mon engagement politique, qui m'a fait connaître du public, me vaut aujourd'hui d'être considérée comme une sage à qui l'on demande de se prononcer sur l'actualité et vers qui l'on se tourne pour chercher conseil. Ce statut me permet d'exercer de l'influence dans des dossiers qui me tiennent à cœur. Surtout, ma notoriété me donne la possibilité de m'adresser aux femmes des jeunes générations. Ce livre s'inscrit dans cette perspective. Je serai ravie si j'ai encouragé certaines à tracer leur propre voie, conformément à leurs valeurs et à leurs aspirations, comme je l'ai moi-même fait au cours de ma vie.

Table des matières

Suivez les Éditions Libre Expression sur le Web :
www.edlibreexpression.com

Cet ouvrage a été composé en ITC New Baskerville 11,5/13,65
et achevé d'imprimer en mai 2015
sur les presses de Marquis Imprimeur, Québec, Canada.

certifié   procédé   100 % post-   archives   énergie
sans chlore   consommation   permanentes   biogaz

Imprimé sur du papier 100 % postconsommation,
traité sans chlore, accrédité Éco-Logo et fait à partir de biogaz.